Collection folio junior

dirigée par
Jean-Olivier Héron
et Pierre Marchand

Steve Jackson et **Ian Livingstone,** auteurs des livres dont **vous** êtes le héros, ont été tous deux élèves du lycée de Altrincham dans le Cheshire. Steve Jackson a étudié la biologie et la psychologie à l'université de Keele, mais il consacra surtout son énergie à fonder une association de jeux au sein de l'université. Ian Livingstone a suivi des cours de marketing au collège de Stockport ; il a collaboré, par la suite, au magazine *Albion,* aujourd'hui disparu, la revue la plus célèbre en Grande-Bretagne en matière de jeux de société.

En 1974, tous deux vinrent s'installer à Shepherd's Bush, dans la partie ouest de Londres ; ils passaient là le plus clair de leur temps à jouer à des *wargames* américains. Parmi les divers emplois que Steve Jackson a tenus à cette époque, l'un des plus enrichissants pour son expérience fut sans nul doute sa collaboration à *Games and Puzzles* qui était à l'époque le seul magazine an glais professionnel spécialisé dans les jeux ; dans le même temps, Ian Livingstone menait une carrière de cadre supérieur dans le service marketing d'une grande compagnie pétrolière. Lorsque leur société Games Workshop fut créée, ils décidèrent tous deux d'abandonner leur situation « stable » pour se consacrer entièrement à ce qui avait toujours constitué la grande ambition de leur vie.

Les jeux que produit la société Games Workshop ont inspiré *La Citadelle du Chaos.* Conçu pour un joueur solitaire, le livre fonctionne à la manière des jeux électroniques dans lesquels le joueur doit tenir un rôle en tant que personnage. De tels jeux ont ceci de particulier qu'ils nécessitent la présence d'un « Maître du Jeu » représentant une sorte de « dieu » qui préside à l'aventure dans laquelle se lance le joueur. Dans *La Citadelle du Chaos,* c'est le livre lui-même qui fait office de « Maître du Jeu », en utilisant une technique familière à ceux qui ont suivi des cours programmés électroniquement.

Steve Jackson et Ian Livingstone ont maintenant dépassé la trentaine et ils sont toujours aussi acharnés au jeu. Parmi leurs jeux préférés, citons : Apocalypse, 1829, Intellivision Baseball, Pisa et le grande trilogie des jeux électroniques : Rune Quest, Donjons et Dragons et Traveller.

Pour Ken, Lilian et Vicki

Steve Jackson

La Citadelle du Chaos

*Traduit de l'anglais
par Marie Raymond Farré*

Illustrations de Russ Nicholson

Gallimard

Titre original :
The Citadel of Chaos

Comment combattre les créatures de la Citadelle

Vous êtes le meilleur élève du Grand Magicien de Yore. Votre connaissance de la magie est encore imparfaite, mais, avec un peu de chance, elle vous suffira à mener à bien votre mission. Vous possédez également une épée dont le maniement n'a plus de secret pour vous. Votre forme physique est par ailleurs excellente et vous vous êtes exercé avec acharnement à accroître votre endurance au combat.

Comme dans *Le Sorcier de la Montagne de Feu*[1], vous devrez calculer vos forces et vos faiblesses, avant de vous lancer dans cette aventure. Les lecteurs du *Sorcier* connaissent déjà la plupart des règles du jeu exposées dans les pages suivantes, mais il convient cependant de les relire attentivement : les deux ouvrages, en effet, diffèrent quelque peu en raison du rôle important que joue la magie dans *La Citadelle du Chaos*.

---

1. Déjà publié dans la collection Folio Junior (n° 252).

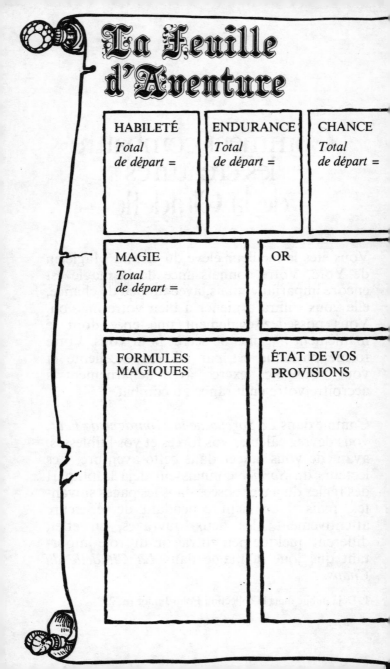

La Feuille d'Aventure

HABILETÉ	ENDURANCE	CHANCE
Total de départ =	*Total de départ =*	*Total de départ =*

MAGIE	OR
Total de départ =	

FORMULES MAGIQUES	ÉTAT DE VOS PROVISIONS

CASES DES RENCONTRES AVEC UN MONSTRE

Habileté = *Endurance =*	*Habileté =* *Endurance =*	*Habileté =* *Endurance =*
Habileté = *Endurance =*	*Habileté =* *Endurance =*	*Habileté =* *Endurance =*
Habileté = *Endurance =*	*Habileté =* *Endurance =*	*Habileté =* *Endurance =*
Habileté = *Endurance =*	*Habileté =* *Endurance =*	*Habileté =* *Endurance =*

Tout d'abord vous devrez déterminer à l'aide d'une paire de dés vos scores initiaux d'HABILETÉ, d'ENDURANCE et de CHANCE. En pages 10 et 11 vous trouverez une *Feuille d'Aventure* sur laquelle vous pourrez inscrire tous les détails d'une partie. Des cases sont instamment réservées aux scores d'ENDURANCE et d'HABILETÉ.

Nous vous conseillons de noter vos points sur cette *Feuille d'Aventure* avec un crayon ou, mieux, de faire des photocopies de ces deux pages afin de pouvoir les utiliser lorsque vous jouerez à nouveau.

Habileté, Endurance et Chance

Lancez un dé. Ajoutez 6 au chiffre obtenu et inscrivez le total dans la case HABILETÉ de la *Feuille d'Aventure*.

Lancez ensuite les deux dés. Ajoutez 12 au chiffre obtenu et inscrivez le total dans la case ENDURANCE.

Il existe également une case CHANCE. Lancez à nouveau un dé, ajoutez 6 au chiffre obtenu et inscrivez le total dans la case CHANCE.

Pour des raisons qui vous seront expliquées plus loin, les points d'HABILETÉ, d'ENDURANCE et de CHANCE changent constamment au cours de l'aventure. Vous devrez garder un compte exact de ces points et nous vous conseillons à cet effet d'écrire vos chiffres très petits dans les cases, ou d'avoir une gomme à portée de main. Mais n'effacez jamais vos *points de départ*. Bien que vous puissiez obtenir des points supplémentaires d'HABILETÉ, d'ENDURANCE et de CHANCE, ce total n'excédera jamais vos *points de départ,* sauf en de très rares occasions qui vous seraient alors signalées sur une page particulière.

Vos points d'HABILETÉ reflètent votre art dans le maniement de l'épée et votre adresse au combat en général ; plus ils sont élevés, mieux c'est. Vos points d'ENDURANCE traduisent votre force, votre volonté de survivre, votre détermination et votre forme physique et morale en général ; plus vos points d'ENDURANCE sont élevés, plus vous serez capable de survivre longtemps. Avec vos points de CHANCE, vous saurez si vous êtes naturellement chanceux ou malchanceux. La chance et la magie sont des réalités de la vie dans l'univers imaginaire que vous allez découvrir.

Batailles

Il vous sera souvent demandé, au long des pages de ce livre, de combattre des créatures de toutes sortes. Parfois, vous aurez la possibilité de fuir ou d'utiliser la magie. Sinon — ou si vous décidez de toute façon de combattre — il vous faudra mener la bataille comme suit.

Tout d'abord, vous inscrivez les points d'HABILETÉ et d'ENDURANCE de la créature, dans une case vide des *Rencontres avec un Monstre,* sur votre *Feuille d'Aventure.* Les points correspondant à chaque créature sont donnés dans le livre chaque fois que vous faites une rencontre.

Le combat se déroule alors ainsi :

1. Jetez les deux dés pour la créature. Ajoutez ses points d'HABILETÉ au chiffre obtenu. Ce total vous donnera la *Force d'Attaque* de la créature.

2. Jetez les deux dés pour vous-même. Ajoutez le chiffre obtenu à vos propres points d'HABILETÉ. Ce total représente votre *Force d'Attaque*.

3. Si votre *Force d'Attaque* est supérieure à celle de la créature, vous l'avez blessée. Passez à l'étape n° 4. Si la *Force d'Attaque* de la créature est supérieure à la vôtre, c'est elle qui vous a blessé. Passez à l'étape n° 5. Si les deux *Forces d'Attaque* sont égales, vous avez chacun esquivé les coups de l'autre — reprenez le combat en recommençant à l'étape n° 1.

4. Vous avez blessé la créature, vous diminuez donc de deux points son ENDURANCE. Vous pouvez également vous servir de votre CHANCE pour lui faire plus de mal encore (voir page 16).

5. La créature vous a blessé, vous ôtez alors deux points à votre ENDURANCE. Vous pouvez également faire usage de votre CHANCE (voir page 16).

6. Modifiez votre score d'ENDURANCE ou celui de la créature, selon le cas. (Faites de même

pour vos points de CHANCE si vous en avez fait usage — voir page 16.)

7. Commencez le deuxième *Assaut* (en reprenant les étapes de 1 à 6). Vous poursuivrez ainsi l'ordre des opérations jusqu'à ce que vos points d'ENDURANCE ou ceux de la créature que vous combattez aient été réduits à zéro (mort).

Fuite

A certaines pages, vous aurez la possibilité de fuir un combat s'il vous semble devoir mal se terminer pour vous. Si vous prenez la fuite, cependant, la créature vous aura automatiquement infligé une blessure tandis que vous vous échappez. (Vous ôterez alors deux points à votre ENDURANCE.) C'est le prix de la couardise. Pour cette blessure, vous pourrez toutefois vous servir de votre CHANCE selon les règles habituelles (voir page 16). La *Fuite* n'est possible que si elle est spécifiée à la page où vous vous trouverez.

Combat avec plus d'une Créature

Si vous croisez plus d'une créature, lors de certaines rencontres, vous lirez à la page correspondante les instructions qui vous permettront de mener la bataille. Parfois, vous les affronterez comme si elles n'étaient qu'un seul monstre ; parfois, vous les combattrez une par une.

15

Chance

A plusieurs reprises au cours de votre aventure, lors de batailles ou dans des situations qui font intervenir la chance ou la malchance (les détails vous seront donnés dans les pages correspondantes) vous aurez la possibilité de faire appel à votre chance pour essayer de rendre une issue plus favorable. Mais attention ! L'usage de la chance comporte de grands risques et si vous êtes *malchanceux,* les conséquences pourraient se révéler désastreuses.

Voici comment on peut se servir de la chance : jetez deux dés. Si le chiffre obtenu est *égal ou inférieur* à vos points de CHANCE, vous êtes *chanceux,* et le résultat tournera en votre faveur. Si ce chiffre est *supérieur* à vos points de CHANCE, vous êtes *malchanceux* et vous serez pénalisé.

Cette règle s'intitule : *Tentez votre Chance.* Chaque fois que vous « Tenterez votre Chance », il vous faudra ôter un point à votre total de CHANCE. Ainsi, vous vous rendrez bientôt compte que plus vous vous fierez à votre chance, plus vous courrez de risques.

Utilisation de la Chance dans les Combats

A certaines pages du livre, il vous sera demandé de *Tenter votre Chance* et vous serez averti de ce qui vous arrivera selon que vous serez *chanceux* ou *malchanceux.* Lors des batailles, cependant, vous pourrez toujours *choisir* d'utiliser votre chance, soit pour infliger une blessure plus grave à une créature que vous venez de blesser, soit pour minimiser les effets d'une blessure qu'une créature vient de vous infliger.

Si vous venez de blesser une créature, vous pouvez *Tenter votre Chance* à la manière décrite plus haut. Si vous êtes *chanceux,* vous avez infligé une blessure grave et vous pouvez ôter deux points de plus au score d'ENDURANCE de la créature. Si vous êtes *malchanceux* cependant, la blessure n'était qu'une simple écorchure, et vous devez rajouter un point au score d'ENDURANCE de la créature (c'est-à-dire qu'au lieu d'enlever les deux points correspondant à la blessure, vous n'aurez ôté qu'un seul point).

Si la créature vient de vous blesser, vous pouvez *Tenter votre Chance* pour essayer d'en minimiser les effets. Si vous êtes *chanceux,* vous avez réussi à atténuer le coup. Rajoutez alors un point d'ENDURANCE (c'est-à-dire qu'au lieu de deux points ôtés à cause de la blessure, vous n'aurez qu'un point en moins). Si vous êtes *malchanceux,* le coup que vous avez pris était plus grave : dans ce cas, enlevez encore un point à votre ENDURANCE.

Rappelez-vous que vous devez soustraire un point de votre total de CHANCE chaque fois que vous *Tentez votre Chance.*

Comment rétablir votre Habileté, votre Endurance et votre Chance

HABILETÉ

Vos points d'HABILETÉ ne changeront pas beaucoup au cours de votre aventure. A l'occasion, il peut vous être demandé d'augmenter ou de diminuer votre score d'HABILETÉ. Une arme magique peut augmenter cette HABILETÉ, mais rappelez-vous qu'on ne peut utiliser qu'une seule arme à la fois ! Vous ne pouvez revendiquer deux bonus d'HABILETÉ sous prétexte que vous disposez de deux Épées Magiques. Vos points d'HABILETÉ ne peuvent jamais excéder leur total de départ sauf en certaines circonstances spécifiques. En cas de besoin, vous pourrez retrouver vos points d'HABILETÉ grâce à la Formule Magique correspondante (voir page 23).

ENDURANCE

Votre score d'ENDURANCE changera beaucoup au cours de votre aventure en fonction des blessures qui vous seront infligées lors des combats. Vous pourrez cependant rétablir votre score d'ENDURANCE grâce à la Formule Magique d'Endurance. Il est fortement conseillé d'inclure plusieurs Formules Magiques d'Endurance, dans la liste que vous établirez au début de votre aventure (voir page 22). Rappelez-vous que votre score d'ENDURANCE ne peut jamais dépasser le total de vos *points de départ*.

Vos points de CHANCE augmentent au cours de l'aventure lorsque vous êtes particulièrement chanceux. Les détails vous seront donnés au long des pages. Rappelez-vous que, comme pour l'ENDURANCE et l'HABILETÉ, vos points de CHANCE ne peuvent excéder leur niveau de départ. Vous pourrez d'autre part rétablir votre score de CHANCE en utilisant la Formule Magique appropriée (Voir page 21.)

Utilisation de la Magie

En plus de votre HABILETÉ, de votre ENDURANCE et de votre CHANCE, vous devrez également calculer vos points de MAGIE.

Lancez deux dés. Ajoutez 6 au chiffre obtenu, et inscrivez le total dans la case MAGIE de votre *Feuille d'Aventure*.

Ce score de MAGIE vous donne le nombre de Formules Magiques que vous pourrez utiliser au cours de votre aventure. Ces formules doivent être choisies dans la liste que vous trouverez plus loin et notées dans la case MAGIE de votre *Feuille d'Aventure*.

Si les dés vous donnent 4 et 3, votre score de MAGIE sera égal à $4 + 3 + 6 = 13$, c'est-à-dire que vous pourrez utiliser treize formules de magie.

A titre d'exemple, vous auriez ainsi droit à trois Formules d'Endurance, cinq de Télépathie et cinq autres de Feu. Vous pourriez également choisir chacune des douze formules proposées et y ajouter une Formule de Copie Conforme. Votre choix est tout à fait libre.

Chaque fois que vous utiliserez une formule de magie, vous devrez la rayer de la liste (même si elle s'est révélée inefficace). Et s'il s'agit d'une formule que vous avez choisie en plusieurs exemplaires, le total devra bien entendu être diminué en conséquence. Parfois, vous aurez la possibilité au cours de votre aventure d'utiliser telle ou telle formule magique selon des indications qui vous seront données. Mais si vous ne disposez pas de cette formule — soit que vous ne l'ayez pas choisie au départ, soit que vous l'ayez déjà épuisée — vous n'aurez pas le droit d'y recourir.

Comme vous n'avez encore aucune idée des dangers qui vous guettent, à l'intérieur de la Citadelle, vous choisirez sans doute, la première fois, des formules qui ne se révèleront pas aussi efficaces que vous l'espériez. Mais lors d'aventures ultérieures, votre choix sera certainement plus judicieux. Aussi, ne vous inquiétez pas si vos points de MAGIE sont faibles, car même avec le score le plus bas, vous disposerez toujours d'un nombre suffisant de formules magiques pour pouvoir réussir votre mission. A condition que vous les choisissiez avec discernement et que la chance vous aide quelque peu...

Les Formules Magiques

CHANCE

La Formule de Chance, de même que les deux Formules Magiques d'Habileté et d'Endurance, possède la particularité de pouvoir être utilisée à tout moment au cours de votre aventure, sauf lors d'un combat. A tout moment, c'est-à-dire, même si aucune indication ne vous est donnée à ce sujet. Lorsque vous l'utilisez, cette formule augmente votre total de CHANCE d'une valeur égale à la moitié de vos *points de départ* (si vos *points de départ* formaient un chiffre impair, vous devrez déduire le demi-point : par exemple 6,5 sera arrondi à 6). Cependant, le nouveau score obtenu ne doit en aucun cas dépasser vos points de départ. Mais si, par exemple, vous n'avez plus aucun point de CHANCE, vous pourriez très bien utiliser deux fois la Formule Magique, et retrouver ainsi vos points de départ.

COPIE CONFORME

Cette formule vous permet de créer le double de la créature que vous êtes en train de combattre. Ce double magique a la même HABILETÉ, la même ENDURANCE et les mêmes pouvoirs que son original. Mais le double magique est sous le contrôle de votre volonté, et vous pouvez par exemple lui ordonner d'attaquer la créature dont il est issu. Vous n'avez plus alors qu'à vous installer confortablement pour assister au combat !

ENDURANCE

Cette formule magique vous permet d'augmenter votre total d'ENDURANCE d'une valeur égale à la moitié de vos *points de départ*. Le calcul se fait de la même façon que dans la Formule magique de Chance. Vous pouvez l'utiliser à tout moment, sauf au cours d'une bataille.

FAIBLESSE

Avec cette formule, vous réduisez le monstre le plus puissant à l'état de créature chétive. Cette formule ne marche pas avec tous les monstres, mais lorsqu'elle est efficace, vous n'avez plus devant vous que de lamentables chiffes molles en guise d'adversaires.

FEU

Toutes les créatures ont peur du feu et cette formule magique vous permet de faire apparaître du feu à volonté. Vous pourrez par exemple provoquer une faible explosion sur le sol occasionnant pendant quelques secondes un jaillissement de flammes, ou déchaîner un mur de feu qui tiendra vos adversaires à distance.

FORCE

Voici une formule magique qui accroît considérablement votre force et vous sera fort utile lors de combats avec des créatures robustes. Mais il faut l'utiliser avec précaution, car il est difficile de se contrôler quand on devient soudain si fort !

HABILETÉ

Grâce à cette formule, vous pouvez augmenter votre total d'HABILETÉ d'une valeur égale à la moitié de vos *points de départ*. Le calcul se fait de la même façon qu'au paragraphe *Endurance*. Vous pouvez également l'utiliser à tout moment, sauf lors d'une bataille.

ILLUSION

C'est une formule aux effets spectaculaires mais qui n'est pas toujours très sûre. En l'utilisant, vous créez une illusion fort convaincante. Par exemple, vous vous transformez en serpent, ou le sol se couvre de charbons ardents et vous pouvez ainsi duper la créature qui vous fait face. Il suffit ensuite qu'une action quelconque dissipe l'illusion, pour que les effets de la formule soient immédiatement annulés : par exemple, vous faites croire à une créature que vous vous êtes changé en serpent, puis vous l'attaquez par surprise en lui fendant le crâne avec votre épée : dès que vous aurez amorcé ce geste, vous retrouverez votre apparence habituelle. Il est à noter que cette formule magique se révèle plus efficace avec les créatures intelligentes.

LÉVITATION

Cette formule magique peut s'appliquer à des objets, à des adversaires, ou à vous-même. La Formule de Lévitation élimine toute pesanteur, et quiconque en subit les effets se met à flotter en l'air sous votre contrôle.

L'OR DU SOT

Cette formule magique vous permet de transformer un rocher ordinaire en ce qui semble un tas d'or. Il s'agit là d'un simple tour d'illusion — beaucoup plus sûr cependant que la Formule d'Illusion décrite ci-dessus —, mais dont les effets sont brefs, car bientôt le tas d'or redevient rocher.

PROTECTION

Cette formule magique crée devant vous une barrière de protection invisible qui vous met hors d'atteinte des flèches, des coups d'épées ou des créatures. Elle ne vous protège pas cependant contre la magie. Et bien entendu, si rien ne peut vous toucher, vous ne pouvez, vous non plus, toucher quoi ou qui que ce soit au-delà de cette barrière.

TÉLÉPATHIE

Cette formule vous permet de capter les ondes psychiques d'une créature dont vous pourrez dès lors lire les pensées. Grâce à elle, il vous sera également possible de savoir ce qu'il y a derrière une porte fermée. Mais attention, cette formule magique peut parfois semer la confusion dans votre esprit lorsque plusieurs sources psychiques sont proches l'une de l'autre.

Equipement

Au début de l'aventure, vous ne disposerez que d'un équipement minimum. Vous êtes armé d'une épée, et vêtu d'une armure de cuir ; une simple lanterne vous permet de vous éclairer et un sac à dos vous servira à transporter les trésors ou les objets que vous trouverez tout au long de votre chemin. Inscrivez au fur et à mesure toutes vos trouvailles dans la case Équipement de la *Feuille d'Aventure*. Lors de certaines rencontres, vous aurez à utiliser tel ou tel de ces objets que vous perdrez peut-être, ou qui sera détruit, selon les indications données au cours des pages. Dans ce cas, vous devrez aussitôt rayer de la liste l'objet en question dont vous ne pourrez plus faire usage par la suite.

Menace
sur la Vallée des Saules

Le bon peuple de la Vallée des Saules vit depuis environ huit ans dans la crainte, voire la terreur. Cette crainte, c'est un certain Balthus le Terrible qui l'inspire, Balthus le Sorcier dont les pouvoirs magiques sont impressionnants. Et lorsque le bruit a couru que Balthus le Terrible avait décidé de conquérir le monde en commençant par la Vallée des Saules, la crainte s'est changée soudain en terreur.

Un elfe envoyé en mission d'espionnage à la Tour Noire est revenu trois jours plus tôt, porteur d'une tragique nouvelle : Balthus le Terrible a en effet recruté dans les grottes du Pic de la Roche toute une armée de monstres, les redoutables Chaotiques, qui se préparent à envahir la Vallée des Saules sous son commandement, et cela, avant la fin de la semaine.

Le bon Roi Salamon qui règne sur la Vallée est un homme d'action. Aussitôt prévenu, il envoie des messagers dans tout le royaume pour mobiliser ses sujets et organiser la résistance. Des cavaliers ont également été dépêchés dans la Grande Forêt de Yore pour avertir les elfes qui l'habitent et leur proposer une alliance. Le Roi Salamon est aussi un homme sage et il sait que la nouvelle viendra inévitablement aux oreilles du Grand Enchanteur de Yore, un vieux mage dont les pouvoirs sont grands et qui vit au cœur de la forêt.

Le Grand Enchanteur de Yore est cependant trop âgé pour participer lui-même à une telle bataille. Mais il se peut que parmi ses jeunes disciples, il s'en trouve un qui ait suffisamment de courage et d'ambition pour décider de venir en aide au Roi et à ses sujets.

Or, le meilleur élève du Grand Enchanteur de Yore, c'est vous. Sous la conduite de ce maître exigeant, vous avez toujours donné le meilleur de vous-même, et sitôt connue la menace qui plane sur la Vallée des Saules, vous partez immédiatement pour la cour du Roi Salamon. Là vous êtes accueilli comme un héros par le Monarque qui vous expose aussitôt son plan : il s'agirait d'éviter que la bataille ait lieu en faisant disparaître Balthus avant que son armée soit prête.

Cette mission est extrêmement périlleuse, car Balthus le Terrible est protégé, dans sa Citadelle, par une foule de créatures diaboliques. Et bien que vos pouvoirs magiques soient votre meilleure arme, il faudra parfois vous battre à l'épée pour défendre votre vie.

Le Roi Salamon vous a expliqué votre mission et vous a averti des dangers qui vous attendent. Un seul chemin vous mènera vers Balthus le

28

Terrible avec un minimum de risques. Si vous le découvrez, vous gagnerez facilement, mais il vous faudra peut-être faire plusieurs voyages avant de trouver le meilleur moyen d'atteindre le Sorcier.

Il ne vous reste plus à présent qu'à vous mettre en route en direction de la Tour Noire. Parvenu au pied du Pic de la Roche, vous apercevez la Citadelle du Chaos dont les contours se dessinent au loin sous le ciel sombre...

Et maintenant, tournez la page !

1 *A mesure que vous avancez, vous percevez des grognements étouffés, et vous distinguez bientôt deux créatures hybrides.*

1

Le soleil se couche ; et tandis que l'obscurité s'installe, vous entreprenez l'escalade de la montagne en direction de la silhouette menaçante qui se dresse dans la nuit. La Citadelle du Chaos se trouve à moins d'une heure de marche.

A quelque distance des remparts, vous vous arrêtez pour vous reposer et la Citadelle vous semble alors un immense et redoutable fantôme auquel il serait impossible d'échapper. Vous contemplez cette masse imposante et un frisson de peur vous parcourt l'échine.

Vous avez honte cependant d'éprouver cette crainte et, avec une froide détermination, vous continuez à grimper jusqu'au portail d'entrée dont vous savez qu'il est surveillé par des gardes. En même temps, vous réfléchissez à ce que vous allez dire. Vous avez pensé à vous faire passer pour un herboriste venu soigner l'un des gardes atteint de fièvre. Vous pourriez également vous présenter comme un marchand ou un artisan — un charpentier par exemple. Vous pourriez même vous prétendre un vagabond en quête d'un abri pour la nuit.

Tout en réfléchissant à ces trois mensonges, vous atteignez le sentier qui mène au portail. Deux flambeaux brûlent de chaque côté de la herse.

A mesure que vous avancez, vous percevez des grognements étouffés et vous distinguez bientôt deux créatures hybrides. A gauche, il s'agit d'un animal repoussant à la tête de chien posée sur un corps de grand singe.

31

Du côté opposé se tient son contraire : un monstre à tête de singe et au corps de molosse. Ce dernier s'avance vers vous, s'arrête à quelques mètres, puis, se dressant sur ses pattes de derrière, vous demande qui vous êtes. Quelle réponse allez-vous faire ?

Prétendre être un herbo-riste ?	Rendez-vous au **261**
Vous faire passer pour un marchand ?	Rendez-vous au **230**
Demander l'hospitalité pour la nuit ?	Rendez-vous au **20**

2

Un peu plus loin dans le passage, à droite, se trouve une porte sur laquelle sont tracées d'étranges inscriptions dans une langue inconnue. Allez-vous essayer d'ouvrir la porte (rendez-vous au **142),** ou préférez-vous poursuivre votre chemin (rendez-vous au **343**) ?

3

Que leur offrez-vous ?

Une Myriade ?	Rendez-vous au **327**
Un Bocal contenant l'Homme-Araignée ?	Rendez-vous au **59**
Une poignée de Baies ?	Rendez-vous au **236**

Si vous ne pouvez rien leur offrir, vous tirez votre épée (rendez-vous au **286**), ou vous vous dirigez vers la porte du fond (rendez-vous au **366**).

4

Par magie, vous faites surgir une boule de feu que vous jetez au visage de la créature. Mais, à votre grande consternation, la boule rebondit sans produire le moindre effet. Vous avez à présent le choix entre utiliser la Formule de Copie Conforme (rendez-vous au **190**), ou tirer votre épée pour combattre la créature (rendez-vous au **303**).

5

Vous tournez la poignée et la porte s'ouvre sur un autre couloir. Vous longez le mur et au bout de quelques mètres le couloir oblique vers la droite pour aboutir à une nouvelle porte. Une pancarte y est fixée sur laquelle on peut lire : « Veuillez sonner pour appeler le Maître d'Hôtel. » En effet, un cordon qui doit actionner une cloche pend à portée de main. Allez-vous tirer le cordon (rendez-vous au **40**), ou essayer d'ouvrir la porte (rendez-vous au **361**) ?

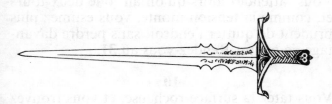

6

Le sentier longe la rivière sur plusieurs mètres, puis s'enfonce à nouveau dans la paroi rocheuse. Vous suivez ce passage sur une certaine distance. Rendez-vous au **367**.

7

La porte est fermée. Voulez-vous essayer de la défoncer à coups d'épaule (rendez-vous au **268**), ou préférez-vous utiliser la Formule de Force pour arracher la porte de ses gonds (rendez-vous alors au **116**) ?

8

Stupéfaite, la créature voit apparaître son sosie. Elle recule aussitôt de quelques pas et vous ordonnez à son double de l'attaquer. Mais alors que les deux créatures s'approchent l'une de l'autre, quelque chose d'étrange se produit : elles se mettent en effet à tourner et à rebondir comme des toupies, sans parvenir à se toucher. Son double, cependant, a fait reculer la créature réelle, ce qui vous permet de courir vers l'entrée de la Citadelle. Rendez-vous au **218**.

9

Sous l'influence de votre Formule d'Illusion, les spectateurs vous voient commencer la partie. Vous attendez alors qu'on ait joué deux tours et, comme la tension monte, vous estimez plus prudent de quitter l'endroit sans perdre davantage de temps. Rendez-vous au **31**.

10

Vous tâtez la surface rocheuse, et vous trouvez un petit levier que vous tirez. La roche alors s'effrite quelque peu, découvrant une entrée étroite. Vous vous y glissez, et vous vous retrouvez dans un passage secret. A gauche, vous apercevez une porte que vous décidez d'ouvrir. Rendez-vous au **249**.

11

Vous pouvez utiliser l'une de ces quatre Formules Magiques :

Or du Sot	Rendez-vous au **36**
Copie Conforme	Rendez-vous au **262**
Télépathie	Rendez-vous au **128**
Faiblesse	Rendez-vous au **152**

Si vous ne disposez d'aucune d'entre elles, vous devrez combattre à l'épée. Rendez-vous au **16**.

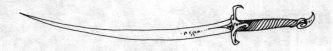

12

Il se tient face à vous et respire péniblement, visiblement épuisé par son tour de magie. Allez-vous en profiter pour :

Courir vers l'armoire remplie d'armes ?	Rendez-vous au **274**
Sauter sous la table ?	Rendez-vous au **335**
Vous précipiter vers la fenêtre ?	Rendez-vous au **78**

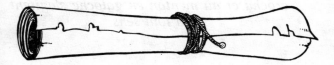

13 *Trois repoussantes vieilles femmes au nez crochu et au menton en galoche s'agitent en tout sens.*

13

La poignée tourne et vous entrez dans une sorte de cuisine. Trois repoussantes vieilles femmes au nez crochu et au menton en galoche s'agitent en tout sens, allant chercher divers ingrédients dans des placards et les versant dans le bouillon d'une grande marmite. Un morceau de viande cuit à la broche dans le feu de la cheminée. En regardant plus attentivement, vous vous apercevez que ce morceau de viande n'est pas un animal, mais un Nain en train de griller ! Une de ces vieilles femmes vous dévisage et vous lance : « Qui es-tu, toi ? le nouveau domestique, ou le prochain repas ? » A ces mots, elles se mettent à caqueter et à couiner dans ce qui pourrait ressembler à un rire. Souhaitez-vous vous faire passer pour le nouveau domestique qu'elles attendent ? Rendez-vous alors au **302**. Si vous préférez essayer de fouiner un peu dans cette cuisine, rendez-vous au **215**.

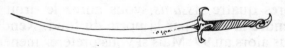

14

L'ombre de la muraille vous empêche de bien voir. Une pierre branlante vous fait glisser et, perdant l'équilibre, vous vacillez au bord de ce qui semble être un puits profond. *Tentez votre Chance*. Si vous êtes Chanceux, vous retrouvez l'équilibre et vous faites un pas en arrière ; puis vous poursuivez votre chemin en contournant le puits (rendez-vous au **79**). Si vous êtes Malchanceux, vous tombez dans le puits. Rendez-vous au **100**.

15

La dague est sans nul doute une véritable œuvre d'art qui doit coûter fort cher. La lame est taillée dans un métal brillant et la poignée de cuir vert est incrustée de pierres précieuses. Une inscription précise qu'il s'agit d'une dague enchantée qui ne manque jamais son but quand on la lance. Vous pourrez l'utiliser dans un combat futur, et elle infligera automatiquement une pénalité de 2 points d'ENDURANCE à votre adversaire, sans avoir besoin de calculer sa *Force d'Attaque*. Mais vous ne pourrez vous en servir qu'une fois. Vous glissez cette dague dans votre ceinture, et vous vous dirigez vers la Citadelle. Rendez-vous au **245**.

16

Il faut combattre la créature :

GARK   HABILETÉ : 7   ENDURANCE : 11

Après quatre *Assauts*, vous aurez le droit de prendre la *Fuite* par la porte du fond. Rendez-vous alors au **99**. Mais si vous préférez mener le combat à son terme et si vous gagnez, rendez-vous au **180**.

17

Le placard est rempli d'aliments étranges : yeux, langues, lézards, liquides contenus dans des fioles, herbes, baies de toutes formes et de toutes tailles. Un flacon rempli d'un liquide vert translucide attire votre regard. Vous n'avez pas le temps de lire l'étiquette et vous le glissez dans votre poche, à l'insu des trois vieilles. Vous leur déclarez ensuite que cette cuisine vous paraît tout à fait en ordre et vous sortez par la porte du fond. Rendez-vous au **93**.

18

Il vous désigne, juste au-dessus du sol, une étagère que vous examinez attentivement. Vous choisissez un volume et vous vous installez pour le lire. Balthus le Terrible est apparemment le troisième d'une lignée de Sorciers-Seigneurs de la Guerre, régnant sur la Tour Noire et le royaume du Pic de la Roche. Balthus a pris le pouvoir après la mort de son père, Tyran le Terrible, il y a de cela quelques années. La dynastie des Terrible a vu se succéder des générations de Maîtres en Magie Noire dont les pouvoirs cependant ne peuvent s'exercer que la nuit. La lumière du soleil, en effet, constitue pour eux un véritable poison. Après la mort de son père, Balthus épousa Lady Lucrèce, elle-même Sorcière, et depuis, ils règnent ensemble sur le royaume du Pic de la Roche. Alors que vous finissez de lire le livre, vous remarquez que le bibliothécaire porte la main à son oreille, apparemment pour mieux entendre quelque chose ; il vous regarde ensuite d'un air énigmatique. Allez-vous chercher un autre livre qui pourrait vous aider ? Rendez-vous dans ce cas au **84**. Si vous préférez essayer de quitter la bibliothèque par la porte de derrière, rendez-vous au **31**.

19

L'escalier grince lorsque vous y posez le pied. Vous montez le plus lentement possible, mais les vieilles planches gémissent sous votre poids. Et soudain, vous percevez un faible déclic, comme si un mécanisme venait de se déclencher. Au même instant, toutes les marches se replient les unes sur les autres et l'escalier n'est plus qu'une pente raide et lisse ! Malgré tous vos efforts, vous perdez alors l'équilibre et vous tombez en arrière cul par-dessus tête. Si vous disposez d'une Formule Magique de Lévitation, vous pouvez l'utiliser et vous envoler pour atterrir sur le balcon (rendez-vous alors au **363**). Sinon, rendez-vous au **254**.

20

Le molosse à tête de singe vous répond que personne n'est autorisé à pénétrer dans la Tour Noire, après la tombée du jour, et que vous devrez chercher un abri ailleurs. Vous pouvez alors décider d'attaquer les deux gardiens du portail et vous rendre au **288**. Mais si vous préférez la magie, vous avez la possibilité d'utiliser la Formule de l'Or du Sot en ramassant une pierre qui deviendra une pépite d'or. Vous pourrez alors négocier votre entrée dans la Citadelle en offrant cette pépite aux gardiens (rendez-vous au **96**). Rayez cette formule de votre *Feuille d'Aventure* si vous vous en servez.

21

« Qu'est-ce qui vous a amené ici ? » vous demande-t-elle. Vous lui racontez alors votre histoire sans révéler votre véritable mission. Elle vous conseille aussitôt de fuir si vous disposez de pouvoirs magiques, car les monstres que vous avez déjà rencontrés ne sont rien à côté de ceux qui vous attendent dans la Tour de la Citadelle. Elle ajoute que vous ne pourrez jamais rencontrer le Maître si vous ne trouvez pas la Toison d'Or. Enfin, elle vous souhaite bonne chance. Ajoutez 2 points à votre total de CHANCE pour cette information. Rendez-vous au **6**.

22

Vous ouvrez la porte et vous avancez dans un long couloir obscur. Rendez-vous au **188**.

23

Vous ouvrez la porte, et vous avancez dans le couloir qui continue tout droit pendant un certain temps avant d'obliquer à gauche, puis à droite. Enfin, vous apercevez un passage voûté qui débouche sur une grande pièce. Vous pénétrez dans cette pièce. Rendez-vous au **169**.

24

Vous goûtez au vin et, soudain, vous entendez un cliquetis. Vous regardez dans la direction d'où vient le bruit, et vous voyez avec horreur les bouteilles rangées dans les casiers s'animer et se déplacer ! L'une d'elles s'envole vers vous en ratant votre tête de peu et s'écrase contre le mur. Une seconde, puis une troisième bouteille s'élancent à leur tour pour vous attaquer. Vous êtes à présent assailli par des bouteilles venant de toutes parts. Votre seule défense réside dans la Formule de Protection. Si vous pouvez l'utiliser, rendez-vous au **372**. Sinon, rendez-vous au **219**.

25

La porte s'ouvre sur une immense pièce circulaire. En son centre se trouve une petite « île » sur laquelle repose un coffre au fermoir métalli-

25 *La porte s'ouvre sur une immense pièce circulaire. En son centre se trouve une petite « île » sur laquelle repose un coffre au fermoir métallique.*

que. Elle est entourée par un fossé trop large et trop profond pour être franchi d'un bond. A côté de vous, est posé un rouleau de corde. En face, vous apercevez une porte. Dubitatif, vous vous grattez la tête. Que faire ?

Le coffre ne vous intéresse pas et vous faites le tour du fossé pour aller vers la porte.	Rendez-vous au **206**
Vous utilisez la Formule de Force pour sauter le fossé.	Rendez-vous au **133**
Vous prenez le rouleau de corde et vous échafaudez un plan.	Rendez-vous au **239**

26

Quelle Formule Magique allez-vous utiliser :

Feu ?	Rendez-vous au **87**
Faiblesse ?	Rendez-vous au **345**
Copie Conforme ?	Rendez-vous au **101**

Si vous ne disposez d'aucune de ces trois Formules, revenez au **304** et faites un nouveau choix.

27

Lorsque vous sortez vos Pièces d'Or, les trois créatures s'arrêtent sur place pour les contempler, ébahies. Une main invisible vous les arrache alors et les fait rouler par terre. Les créatures vous regardent à nouveau, et une voix vous en demande d'autres. Vous jetez *toutes* vos Pièces d'Or au milieu de la salle. La voix s'écrie : « Parfait, étranger, vous êtes le bienvenu chez les MIKS ! Nous vous remercions pour votre présent. Et si vous voulez continuer votre chemin, passez par la porte qui est en face de vous. Mais prenez garde aux Ganjees ! Nous vous souhaitons bonne chance ! » Vous ajoutez 1 point à votre total de CHANCE, en raison des bons vœux des Miks. Puis vous franchissez le seuil de la porte indiquée par la voix. Rendez-vous au **206**.

28

Grâce à votre Formule Magique, vous avez une boule de feu dans la main. Ils s'arrêtent sur place et vous fixent avec attention. Vous lancez alors la boule de feu dans leur direction. Ils s'enfuient aussitôt en roulant sur eux-mêmes, et en poussant des cris d'effroi. Vous leur lancez ensuite trois autres boules de feu, une pour chacun d'eux, et ils détalent le long du couloir. Vous pouvez à présent prendre le passage à gauche (rendez-vous au **243**), ou le passage à droite (rendez-vous au **2**).

29

Avec précaution, vous vous approchez du petit homme. Lorsque vous êtes tout près, il ouvre un œil et vous regarde bien en face. Il sourit largement, puis il disparaît ! « Bonjour ! » s'écrie une voix grave derrière vous. Vous vous retournez et vous le revoyez, toujours souriant. « Je suis O'Seamus, le Farfadet ! » dit-il en vous tendant la main amicalement. Allez-vous lui serrer la main, comme à un ami (rendez-vous au **271**), ou préférez-vous tirer votre épée (rendez-vous au **131**) ?

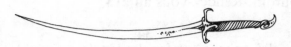

30

Attention, c'est une bête d'une force colossale. Vous tirez votre épée et le combat s'engage.

LA BÊTE
AUX
GRIFFES   HABILETÉ : 9   ENDURANCE : 14

Quand vous aurez porté quatre coups à la créature, rendez-vous au **241**.

31

Vous quittez la Salle de Jeux par la porte du fond. Elle donne sur un court passage qui aboutit à une grande porte en bois. La poignée tourne et vous pénétrez dans une grande salle. Rendez-vous au **169**.

32

Enjambant les cadavres, vous vous approchez de la herse et, tapi dans l'ombre, vous appelez le gardien. Quand il aperçoit les corps, il sort aussitôt pour voir ce qui se passe. Pendant ce temps, vous vous glissez à l'intérieur de la Citadelle en refermant la porte derrière vous. Rendez-vous au **251**.

33

Grâce à votre Formule Magique, vous vous élevez dans les airs. Mais l'Orque et le Gobelin parviennent à vous attraper et vous font redescendre, tandis que le Nain s'avance avec son gourdin. Rendez-vous au **213**.

34

La clef tourne, et, soulevant le couvercle du coffret, vous découvrez une seconde clef en métal d'un vert étincelant. Allez-vous tenter d'ouvrir le troisième coffret avec cette seconde clef ? Rendez-vous alors au **89**. Si vous préférez quitter la pièce avec les deux clefs, rendez-vous au **237**.

35

Vous vous concentrez sur l'Illusion que vous allez produire. Souhaitez-vous lui faire croire qu'un ennemi l'attaque (rendez-vous au **364**), ou préférez-vous devenir invisible, dans l'espoir qu'il vous cherchera partout dans la cellule (rendez-vous alors au **246**) ?

36

« Bah ! fait le Gark, tu ne me berneras pas aussi facilement. Jette tes morceaux de cuivre ! » Le Gark se doute en effet que si vous lui offrez un pot-de-vin, c'est que vous êtes un intrus, ce qui, pour un Gark, constitue un raisonnement tout à fait admirable ! Un instant plus tard, il vous gifle si fort que vous tombez à terre et, avant de sombrer dans l'inconscience, vous entendez le Gark s'exclamer fièrement : « En prison, l'intrus ! » Rendez-vous au **234**. Et n'oubliez pas de rayer la formule Or du Sot.

37

Vous vous emparez de la Toison, et l'Hydre émet un sifflement sonore. Ses têtes alors se rétractent et vous observent, immobiles. A l'autre bout de la pièce, se trouve une porte. Vous vous y dirigez lentement, mais à mi-chemin, une tête jaillit et vous arrache la Toison des mains. Puis, au lieu de vous attaquer, l'Hydre se glisse dans un coin de la pièce. Vous avancez prudemment vers la porte. Rendez-vous au **229**.

38

La porte donne sur un court passage pavé. Une porte de bois gravé, surchargée d'ornements, marque la fin du passage. Mais, juste avant cette porte, se trouve un nouveau passage sur la gauche. Vous vous approchez de la porte, et vous y collez l'oreille. Puis, comme votre main touche la poignée, une voix s'écrie : « Ne frappez pas, entrez ! » Allez-vous obéir à cette voix ? Rendez-vous alors au **132**. Si vous préférez emprunter le passage de gauche, rendez-vous au **306**.

39

Vous brandissez le Bocal et les Ganjees restent bouche bée. « Racknee ! s'écrie une voix. Tu es de retour ! » A ces mots, une main invisible vous arrache le Bocal, le pose sur le sol et en dévisse le couvercle. L'Homme-Araignée se tourne vers vous et pousse de petits grognements. Vous tirez aussitôt votre épée, tandis que la créature en fureur s'apprête à vous attaquer. Vous devez combattre le monstre.

HOMME-
ARAIGNÉE HABILETÉ : 7 ENDURANCE : 5

Dès que l'Homme-Araignée vous aura porté un coup, rendez-vous au **208**. Si vous gagnez le combat sans avoir été blessé par le monstre, vous devrez alors affronter les Ganjees. Rendez-vous au **248**.

40

Quelques instants plus tard, la porte s'ouvre doucement, et un être bossu, difforme, aux dents cariées, aux cheveux en bataille et vêtu de haillons apparaît devant vous. « Oui, Monsieur, hé ! hé !... Que puis-je pour vous ? » marmonne la créature à demi humaine. « On m'attend ! » répondez-vous. Et vous franchissez le seuil de la porte avec assurance. Le bossu, quelque peu déconcerté par vos manières, se met à bredouiller, ne sachant plus que dire ni que faire. « Où est le salon ? » demandez-vous. Il vous regarde d'un œil torve et vous montre du doigt le couloir

40 *Un être bossu, difforme, aux dents cariées, aux cheveux en bataille et vêtu de haillons apparaît devant vous.*

de gauche. Allez-vous lui faire confiance et suivre le chemin qu'il vous indique ? Rendez-vous alors au **243**. Si vous préférez ne pas croire la sournoise créature et prendre le couloir de droite, rendez-vous au **2**.

41

Les trois vieilles ne répondent pas tout de suite et se consultent en marmonnant dans leur barbe. Avec un petit rire, l'une d'elles se tourne alors vers vous. « Oui, étranger, nous t'aiderons à trouver ton chemin », dit-elle, en vous fixant de ses yeux de glace et en pointant son index d'abord vers vous, puis vers le mur derrière elle. Aussitôt, la cuisine s'assombrit et vous avez l'impression qu'on vous bouscule ; puis, comme la lumière revient, vous vous retrouvez dans une autre pièce. Rendez-vous au **257**.

42

Elle cligne des yeux, et les flammes disparaissent. Qu'allez-vous lui offrir :

Un Miroir d'Argent ?   Rendez-vous au **138**

Une Brosse à Cheveux ?   Rendez-vous au **91**

Un Bocal contenant
l'Homme-Araignée ?   Rendez-vous au **223**

Si vous n'avez aucun de ces objets, vous vous excusez d'avoir perdu votre cadeau et vous revenez sur le balcon où vous pourrez franchir la porte du milieu (rendez-vous au **64**), ou la porte du bout (rendez-vous au **304**).

43

La Formule de Faiblesse fonctionne et son étreinte faiblit tandis que ses forces le quittent au fur et à mesure. Il vous lâche enfin et, le souffle court, tombe lourdement sur le sol. Vous perdez 1 point d'ENDURANCE, et vous soignez votre bras blessé. Avant de continuer votre chemin, pensez à rayer la Formule de Faiblesse que vous venez d'utiliser. Rendez-vous ensuite au **14**.

44

La pièce cesse de basculer, et vous sautez à terre. L'armoire aux armes est fermée, mais il est très facile d'en forcer la serrure. Vous pouvez également prendre dans votre sac à dos un objet qui vous servirait d'arme. Que choisissez-vous :

Prendre une arme dans l'armoire ?   Rendez-vous au **353**

Prendre un objet dans votre sac à dos ?   Rendez-vous au **277**

45

Qu'allez vous manger :

De la viande suspendue à un crochet ?   Rendez-vous au **166**

Un fruit ?   Rendez-vous au **313**

Un morceau de fromage ?   Rendez-vous au **253**

Une miche de pain ?   Rendez-vous au **97**

46

Vous tendez le bras en désignant le sol sous les pieds du Sorcier. Aussitôt, des flammes et de la fumée surgissent et Balthus le Terrible, surpris, recule d'un bond. Puis, il ferme les yeux pour se concentrer. Quand il les ouvre à nouveau, ses pupilles sont de feu. Il revient alors vers les flammes que vous avez fait jaillir et il en prend une poignée qu'il vous jette au visage. Allez-vous baisser la tête ? Rendez-vous au **195**. Allez-vous faire un bond de côté ? Rendez-vous au **74**.

47

Quelle Formule Magique allez-vous utiliser :

Copie Conforme ?	Rendez-vous au **8**
Illusion ?	Rendez-vous au **173**
Lévitation ?	Rendez-vous au **259**

Si vous ne disposez d'aucune de ces Formules Magiques, vous devrez revenir vers le monument au milieu de la cour pour vous y cacher. Rendez-vous au **209**.

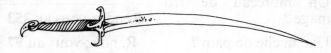

48

« Jamais ! » hurle le Sorcier qui sort de l'ombre en tourbillonnant. Et cette fois, c'est vous qui tremblez de peur, car il s'est transformé en une créature qui ferait reculer un Démon de Feu. Le visage de Balthus le Terrible est en effet devenu d'une laideur terrifiante, et ses cheveux grouillent de serpents qui sifflent sur sa tête. Allez-vous battre en retraite ? Rendez-vous au **232**. Si vous décidez de bondir sur cette nouvelle créature avec votre Trident, rendez-vous au **199**.

49

La créature vous regarde avec perplexité, comme si elle ne savait que penser de vous. Rendez-vous au **255**.

50

Rendez-vous au **164**.

51

Vous ferraillez avec frénésie, mais vous n'arrive-rez jamais à blesser la créature. Elle est trop rapide et n'a aucune consistance ! Ses dents vous mordent, et du sang coule le long de votre jambe. Il faut utiliser vos pouvoirs magiques, sinon ce sera votre fin. Vous avez le choix entre la Formule de Force (rendez-vous au **301**) et celle de Faiblesse (rendez-vous au **159**). Si vous ne disposez ni de l'une ni de l'autre, rendez-vous alors au **280**.

La porte s'ouvre, et vous avancez en la faisant claquer derrière vous. Un peu plus loin, vous atteignez un carrefour à trois branches et vous empruntez le passage orienté au nord qui aboutit rapidement à une porte derrière laquelle s'élèvent des rires et des cris de joie. Avec précaution, vous ouvrez cette porte qui donne sur une grande pièce où une douzaine d'êtres de formes, de tailles et de couleurs diverses sont en train de jouer. A votre entrée, une voix s'écrie : « Regardez ! Ce doit être Glaz-Doz-Fut ! » Tout le monde vous salue et vous invite à vous joindre aux jeux. De toute évidence, ils attendaient un invité et vous ont pris pour lui. Allez-vous jouer avec eux ? Rendez-vous alors au **385**. Préférez-vous leur dire qu'ils se sont trompés et essayer d'atteindre la porte située à l'autre bout de la pièce ? Rendez-vous dans ce cas au **227**.

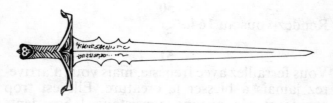

53

« Que ferai-je de tes baies ? dit-elle en riant. Mon appétit est mort avec mon corps ! » En la regardant de plus près, vous constatez alors que ce n'est qu'un Fantôme qui flotte dans les airs en s'approchant de vous. Rendez-vous au **194**.

52 *Vous empruntez le passage orienté au nord qui aboutit rapidement à une porte derrière laquelle s'élèvent des rires et des cris de joie.*

54

Vous cherchez dans votre sac à dos. Qu'allez-vous lui offrir :

Une Pot d'Onguent ?   Rendez-vous au **287**

Une Myriade ?   Rendez-vous au **160**

Des Pièces d'Or ?   Rendez-vous au **27**

Si vous ne possédez aucun de ces objets, vous devrez retourner au **104** et faire un nouveau choix.

55

Vous poursuivez votre chemin pendant quelque temps. Le passage tourne vers la droite, puis se termine en cul-de-sac. Vous pouvez alors retourner au croisement et prendre l'autre direction qui mène au **249**. Mais si vous préférez chercher un passage secret, rendez-vous au **10**.

56

L'ELFE NOIR qui s'approche est squelettique et déguenillé. Il vous demande si vous êtes un invité ou un aventurier. Vous lui répondez que vous êtes un invité venu goûter aux vins qu'il conserve dans sa célèbre Cave. Avec fierté, il vous montre alors les différents crus qu'il réserve à son Maître, Balthus le Terrible. « Certains, dit-il, ont des pouvoirs magiques. » Il vous invite à les goûter. Quel vin allez-vous choisir :

Le vin rouge ?	Rendez-vous au **120**
Le vin blanc ?	Rendez-vous au **163**
Le vin rosé ?	Rendez-vous au **334**

Allez-vous plutôt décliner son offre et poursuivre votre chemin ? Rendez-vous dans ce cas au **95**.

57

Tentez votre Chance ! Si vous êtes Chanceux, rendez-vous au **150**. Si vous êtes Malchanceux, rendez-vous au **233**.

58

Dès votre entrée, les Gremlins s'agitent en poussant des petits cris perçants. Puis ils s'envolent et s'enfuient dans la nuit par la porte. Vous êtes maintenant seul dans la pièce aux calices. Allez-vous prendre le risque de boire ? Si oui, qu'allez-vous choisir :

Le liquide limpide ?	Rendez-vous au **298**
Le liquide rouge ?	Rendez-vous au **267**
Le liquide laiteux ?	Rendez-vous au **92**

Si vous préférez quitter la pièce et vous diriger vers la Tour Noire, rendez-vous au **156**.

59

Votre cadeau provoque leur indignation, et ils courent se cacher sous leurs lits dans un coin de la chambre. Déconcerté par leur comportement, vous laissez le Bocal sur le sol et vous vous dirigez vers la porte située de l'autre côté de la chambre. Rendez-vous au **140**.

60

Les créatures deviennent méfiantes au fur et à mesure que vous les pressez de questions. Le Nain sautille avec son gourdin, tandis que le Gobelin et l'Orque saisissent leur épée en vous lançant des regards noirs. La femme du Gobelin crie et recule de quelques pas. Les trois créatures s'avancent vers vous. Vous allez devoir les combattre, soit avec votre épée (rendez-vous alors au **213**), soit en utilisant l'une de ces deux Formules Magiques :

Lévitation   Rendez-vous au **33**

Illusion   Rendez-vous au **295**

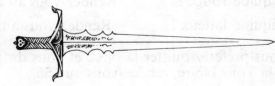

61

Vous avancez, l'épée à la main. Le Devlin s'arrête... puis saute sur vous ! Vous frappez à droite et à gauche, mais vous ne parvenez pas à atteindre votre adversaire qui est maintenant accroché à votre dos. Son corps de flammes vous brûle en vous infligeant les pires souffrances. Il reste ainsi accroché à votre dos, et vous perdez conscience. Vous tombez sur le sol et jamais plus vous ne vous réveillerez. Le Devlin s'assure que vous êtes bien mort, mais il n'y a aucun doute à ce sujet, et votre cadavre figurera au menu des monstres de la Tour Noire...

62

La Gargouille neutralisée, vous décidez d'ouvrir le coffret dans le piédestal. *Tentez votre Chance.* Si vous êtes Chanceux, vous y trouverez une bourse avec 10 Pièces d'Or. Si vous êtes Malchanceux, ne tentez pas d'ouvrir le coffret. Quittez ensuite l'endroit et rendez-vous au **140**.

63

Vous regardez la table des matières et vous notez le numéro du chapitre. Malheureusement les pages que vous cherchez ont été arrachées ! Vous pouvez alors lire le chapitre sur les *Calacorms* (rendez-vous au **263**), ou celui concernant les *Miks* (Rendez-vous au **135**).

Vous avez l'oreille collée contre le panneau et vous entendez des voix aiguës, des rires et des disputes. La poignée tourne, et vous ouvrez la porte qui donne sur une chambre aux couleurs vives. Il y a dans un coin quelques lits de petite taille, sur le sol des poupées représentant des monstres et, contre le mur de droite, un grand coffre posé à côté d'une porte. Au milieu de la pièce, trois petites créatures ricanent en vous regardant. Elles ressemblent à des êtres humains, mais elles ont la peau verte, les oreilles pointues et les yeux bridés. Qu'allez-vous faire ?

Tirer votre épée et vous apprêter à les com-battre ?   Rendez-vous au **286**

Chercher dans votre sac à dos un objet à leur offrir ?   Rendez-vous au **3**

Traverser tranquillement la pièce pour vous diriger vers l'autre porte ?   Rendez-vous au **366**

65

Vous vous agenouillez devant lui, et vous cour-bez l'échine. Il est votre maître à présent, et vous avez échoué dans votre mission.

66

Ils bavardent en se regardant. Puis l'un d'eux s'avance et vous tend un petit cube qui semble fait de pain ou de gâteau. Il vous l'offre, et vous le mangez. Vous sentez aussitôt vos forces revenir. Rétablissez vos points d'HABILETÉ et d'ENDURANCE à leur niveau *initial* et ajoutez 1 point à votre total de CHANCE. Vous les remerciez de leur accueil, puis vous vous dirigez vers les deux portes. Rendez-vous au **270**.

67

Vous engagez votre combat contre la créature et vous avez de la chance, car votre premier coup d'épée tranche l'une de ses six têtes. Les cinq autres vous attaquent alors et vous constatez avec horreur que deux têtes ont poussé à la place de celle que vous avez coupée. L'une des têtes de l'Hydre vous mord profondément le bras et vous perdez 4 points d'ENDURANCE. De toute évidence, votre épée ne peut vous être d'aucun secours. Allez-vous utiliser la Formule de Copie Conforme (rendez-vous au **143**), ou quelque objet contenu dans votre sac à dos (rendez-vous au **226**) ?

68

« Laquelle choisirais-je ? s'interroge le Farfadet. Voyons voir... Je ne prendrais pas celle qui se trouve le plus à gauche de la porte à poignée de cuivre, ni la porte à droite de celle à la poignée de bronze. » Que choisissez-vous ?

La porte à poignée de laiton ? Rendez-vous au **207**

La porte à poignée de cuivre ? Rendez-vous au **22**

La porte à poignée de bronze ? Rendez-vous au **354**

69

Le Calacorm n'est pas bavard, mais vous vous apercevez que vous êtes enfermé dans un cachot situé sous la Tour Noire et que vous n'en sortirez probablement jamais, à moins qu'on ne vous offre aux Ganjees en guise de jouet. Quand vous posez des questions sur Balthus le Terrible, votre gardien se tait. Pour sortir de prison, il faut utiliser des pouvoirs magiques. Rendez-vous au **193**.

70

Vous volez en tout sens pour essayer de vous éloigner de lui, mais il tient bon. Pas moyen de le contourner et de franchir la porte. Finalement, les effets de la Formule Magique disparaissent, et vous devez l'affronter à nouveau. Qu'allez-vous faire :

Utiliser une Formule de Faiblesse ?	Rendez-vous au **307**
Utiliser une Formule de Force ?	Rendez-vous au **264**
Tirer votre épée ?	Rendez-vous au **325**

71

Vous tirez votre épée pour trancher le Tentacule qui ne se battra pas comme une créature normale, mais tentera de vous entraîner dans le grand trou qui lui sert de refuge. Inutile de lancer les dés pour déterminer sa *Force d'Attaque :* elle est toujours de 15, et son score d'ENDURANCE est égal à 2. Engagez le combat selon les règles habituelles, mais si votre *Force d'Attaque* est inférieure à 15, ne retranchez aucun point de votre total d'ENDURANCE. Cependant, si vous n'avez pas réussi à tuer le Tentacule au bout de trois assauts, il parviendra à vous entraîner dans son repère, et votre aventure sera alors terminée. Si vous le tuez, en revanche, vous pourrez libérer votre jambe et poursuivre votre chemin vers la Tour Noire. Rendez-vous au **218**.

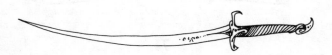

72

La chance n'est pas avec vous. Vous avez regardé la Gorgone, ce qui vous est fatal. Vous poussez un cri de terreur et vos membres se raidissent ; puis vos articulations cessent de fonctionner. Le regard de la Gorgone est en train de vous changer en pierre. Vous perdez alors l'équilibre et vous vous écrasez sur le sol, votre corps pétrifié éclatant sous le choc en mille morceaux, aux pieds de Balthus le Terrible. Vous avez échoué dans votre mission.

73

Il n'y a plus que deux moyens pour échapper à l'étreinte mortelle du Boa d'Égout : le combat ou la magie. Si vous choisissez le combat :

**BOA
D'ÉGOUT**   HABILETÉ : 6   ENDURANCE : 7

En cas de victoire, rendez-vous au **112**.

Si vous souhaitez utiliser la Formule de Force, ajoutez 3 à votre *Force d'Attaque*. Si vous préférez utiliser la Formule de Feu, rendez-vous au **282**.

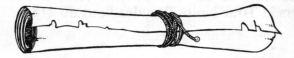

74

Vous faites un bond de côté ; les yeux du Sorcier suivent votre mouvement... et la boule de feu aussi ! Elle vous touche en pleine poitrine, et vous tombez à terre. La brûlure vous coûte 4 points d'ENDURANCE. Si vous êtes encore en vie, vous pouvez utiliser une autre Formule Magique pour contre-attaquer. Rendez-vous au **377**.

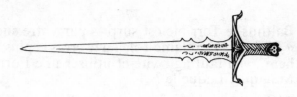

75

Après avoir franchi le seuil, vous fermez la porte
derrière vous et vous attendez un instant. Vous
entendez alors les pas qui se rapprochent et
atteignent la porte. De l'autre côté, on bavarde
dans un jargon incompréhensible. Enfin, les
voix se taisent, et les pas s'éloignent. Vous appelez ensuite le maître d'hôtel. Rendez-vous au
40.

76

Tandis que vous sortiez vos Baies, Balthus le
Terrible s'est concentré sur un Sortilège. Il lève
alors les yeux au ciel et éclate de rire. « Des
Baies Soporifiques ! s'écrie-t-il. Et que crois-tu ?
Que je vais les avaler ? » Il claque aussitôt des
doigts, et son sortilège se matérialise. Rendez-
vous au **191**.

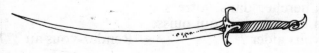

77

Balthus le Terrible est surpris par votre succès.
« Eh bien ! s'exclame-t-il. Tu te crois le plus fort,
hein ? » Il faut agir vite et utiliser une Formule
Magique. Laquelle ?

Télépathie	Rendez-vous au **187**
Feu	Rendez-vous au **46**
Copie Conforme	Rendez-vous au **349**

Si vous ne disposez d'aucune de ces Formules
Magiques, ou si vous préférez ne pas les utiliser,
rendez-vous au **355**.

78

Ses yeux vous suivent jusqu'à la fenêtre. Ses
pupilles sont devenues d'un blanc laiteux. Il
penche la tête en arrière, bat des paupières et
pousse un gémissement. Puis, il redresse la tête
et vous lance un regard furieux. Ses yeux à présent semblent deux disques d'argent et son
regard vous hypnotise. Il faut agir vite. Qu'allez-vous faire :

Vous cacher derrière un rideau ?	Rendez-vous au **324**
Arracher un rideau et le lui jeter à la figure ?	Rendez-vous au **124**
Chercher dans votre sac à dos un objet qui puisse vous aider ?	Rendez-vous au **277**

79

Au fond de la cour, vous découvrez un arbre étrange aux branches tombantes, comme s'il était mort. Les feuilles ont la forme de diamants et ses baies ressemblent à des pastilles. Vous pouvez cueillir quelques-unes de ces baies et poursuivre votre chemin, en rasant la muraille jusqu'à l'entrée de la Tour Noire. Rendez-vous au **218**.

80

Tandis que vous sautez par-dessus la table, le sorcier fait volte-face. Vous trébuchez alors et vous tombez à terre en voyant qu'il s'est transformé en une créature encore plus redoutable. Il a, à présent, la tête d'une sorcière, et ses cheveux grouillent de serpents qui sifflent sur sa tête. Allez-vous continuer à l'attaquer (rendez-vous au **199**), ou vous éloigner de lui (rendez-vous au **232**) ?

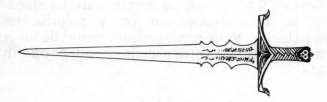

81

Le Singe-Chien éclate de rire et vous déclare que Kylltrog n'est qu'un bon à rien et qu'il ne vaut pas la peine qu'on le soigne. Puis, à votre grand soulagement, il appelle le gardien du portail qui apparaît quelques instants plus tard et ouvre une petite porte par laquelle il vous laisse entrer. Rendez-vous au **251**.

82

Vous tombez dans la fosse en essayant désespérément d'en agripper le rebord, mais sans succès. Vous basculez dans le vide et vous vous écrasez tout au fond, ce qui a pour effet de vous tuer sur le coup. Vous avez échoué dans votre mission.

83

L'homme est un marchand. Vous lui déclarez que vous aussi vous êtes un marchand et vous bavardez avec lui quelques instants de commerce, de prix et de bénéfices. Il vous apprend alors qu'il n'a jamais pu monter dans les étages de la Tour Noire, car on y méprise les marchands. Vous prenez ensuite congé de lui et vous poursuivez votre chemin. Rendez-vous au **245**.

84

Tandis que vous examinez les étagères de la bibliothèque, vous entendez un brouhaha derrière vous. Vous vous retournez et vous apercevez des Orques armés et prêts au combat. Vous voilà cerné. Le plus grand s'approche tout près de vous et vous souffle dans les yeux. La pièce aussitôt bascule, et vous vous effondrez, inconscient, sur le sol. Rendez-vous au **234**.

85

Vous vous concentrez sur votre Formule Magique. Une boule de feu apparaît alors au bout de votre torche. La flamme vacille, mais vous avez le temps d'apercevoir une porte au fond de la pièce avant que le feu s'éteigne à nouveau. Les Ganjees s'amusent de vos efforts pour leur résister. Vous recevez un coup sur la tête et vous retombez sur le sol. Déduisez 2 points de votre total d'ENDURANCE. Qu'allez-vous faire :

Utiliser la Formule d'Illusion   Rendez-vous au **395**

Prendre un objet dans votre sac à dos ?   Rendez-vous au **322**

Tirer votre épée ?   Rendez-vous au **248**

86

Les deux créatures vous regardent, stupéfaites. La magie opère : vous vous élevez et vous volez au-dessus de leur tête, vers le portail, puis au-dessus de la muraille, à l'intérieur de la Citadelle. Après avoir franchi le portail, vous atterrissez et vous jetez un regard alentour. Rendez-vous au **251**. Mais attention ! Les deux créatures vont sûrement alerter les gardes de la Citadelle. N'oubliez pas de rayer de votre *Feuille d'Aventure* la Formule de Lévitation que vous venez d'utiliser.

87

Vous faites jaillir une énorme boule de feu que vous jetez sur la Gargouille. Ce n'est malheureusement d'aucun effet. La créature vous frappe et vous tombez à terre. Déduisez 2 points de votre total d'ENDURANCE. Et, maintenant, quittez cette pièce pour essayer d'aller ouvrir la porte du milieu sur le balcon. Rendez-vous au **64**.

88

La porte est très résistante, mais elle a craqué un peu sous votre premier assaut. Au bout de quelques tentatives, peut-être réussirez-vous à l'enfoncer ? Lancez un dé à chaque essai. Si vous faites un 6, vous aurez réussi et vous vous rendrez au **292**. Vous avez droit à autant d'essais que vous le désirez, mais chaque tentative infructueuse vous coûtera 1 point d'ENDURANCE. Si au cours de l'action, vous décidez d'utiliser une Formule de Force, rendez-vous au **170**. Si vous préférez passer par la porte du milieu, rendez-vous au **64**. Si vous choisissez la porte à l'autre bout du balcon, rendez-vous au **304**.

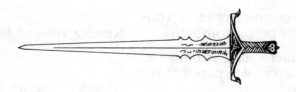

89

La clef tourne, la serrure cliquette et vous ouvrez le coffret. A l'intérieur se trouve un bocal en verre dans lequel est enfermée une araignée. Il ne s'agit pas cependant d'une araignée ordinaire : celle-ci, en effet, a un visage de vieillard et elle vous parle, mais vous ne la comprenez pas. Soudain, un bruit, derrière vous, vous fait sursauter et, en vous retournant, vous voyez s'entrouvrir la porte que vous avez franchie peu avant. Vous rangez alors le bocal dans votre sac à dos et vous filez vers l'autre porte. Rendez-vous au **237**.

Le passage s'agrandit, et vous longez à présent une rivière. Devant vous, apparaît bientôt une femme qui semble laver du linge. A côté d'elle, il y a un panier de vêtements et plusieurs caleçons longs sèchent sur une corde. Qu'allez-vous faire :

Tirer votre épée et vous tenir prêt à combattre ? Rendez-vous au **176**

Saluer la femme et essayer de parler avec elle ? Rendez-vous au **21**

Utiliser la Formule de Télépathie pour savoir qui elle est ? Rendez-vous au **329**

Elle regarde votre cadeau, et ses yeux s'agrandissent. « Donnez-la moi ! » dit-elle. Vous avancez lentement vers elle et vous lui tendez la brosse. Elle la prend aussitôt et l'admire un long moment. « C'est vraiment un objet d'art », dit-elle. Elle quitte alors son lit et se dirige vers le miroir. Et tandis qu'elle se brosse les cheveux, sa chevelure resplendit d'un éclat inhabituel. Elle est fascinée par votre cadeau, et c'est le moment où jamais de quitter la pièce à son insu. Auparavant, vous pouvez essayer de prendre une Toison d'Or qui recouvre le lit. *Tentez votre Chance*. Si vous êtes Chanceux, vous parvenez à la subtiliser et vous partez par l'autre porte. Si vous êtes Malchanceux, vous pouvez *Tenter votre Chance* jusqu'à ce que la fortune vous

90 *Devant vous apparaît bientôt une femme qui semble laver du linge.*

sourie. Mais si la chance n'est décidément pas avec vous, abandonnez donc cette encombrante Toison d'Or et quittez la pièce. Dans tous les cas, rendez-vous au **140**.

92

Le liquide laiteux sent très bon. Vous en buvez une gorgée et vous vous mettez aussitôt à pouffer de rire ! Une autre gorgée et vous êtes pris d'une crise d'hilarité sans raison aucune. Pas étonnant que les petits Gremlins aiment tant ce liquide. L'esprit insouciant et le cœur joyeux, vous quittez alors la pièce en gagnant deux points d'ENDURANCE pour avoir passé un aussi bon moment. Rendez-vous au **156**.

93

Après avoir franchi le seuil de la porte, vous regardez l'étiquette. Il s'agit d'une bouteille d'Essence de Berce, une préparation qui sert apparemment à repousser les créatures de pierre. Cette mixture peut vous être utile, et vous mettez la bouteille dans votre sac à dos. Vous avancez ensuite dans le couloir et vous apercevez une porte que vous ouvrez. Vous entrez alors dans une grande salle. Rendez-vous au **169**.

94

Votre force s'accroît, et vous vous précipitez pour donner un grand coup d'épaule dans la porte... mais elle ne cède pas ! Déduisez un point de votre total d'ENDURANCE, à cause de votre épaule meurtrie, puis cognez fort pour appeler le garde. Rendez-vous au **118**.

95

A l'autre bout de la Cave, se trouve une porte de bois que vous ouvrez. Elle donne sur un passage dans lequel vous vous engagez. Rendez-vous au **367**.

96

Ils prennent votre pépite d'or et appellent le gardien du portail. Ce dernier ouvre une grille et vous laisse entrer tandis que, derrière vous, les deux monstres se querellent pour savoir qui s'appropriera la pépite. Rendez-vous au **251**.

97

Le pain est sec et fade. Il est même très sec... si sec que, bientôt, vous cherchez désespérément quelque chose à boire ! Mais il n'y a rien dans cette pièce pour étancher votre soif ! Déduisez 1 point de votre total d'ENDURANCE jusqu'à ce que vous puissiez boire. (Ce ne sera pas forcément un choix proposé dans un paragraphe, ce peut être simplement la présence d'une boisson dans une des prochaines pièces.) Par quelle porte choisissez-vous de repartir ? Celle de gauche ? Rendez-vous au **13**. Celle du fond ? Rendez-vous au **281**.

98

Le GOLEM qui s'avance vers vous se déplace avec lenteur, ce qui vous donne le temps de vous approcher des coffrets. Mais vous constatez qu'ils sont tous fermés à clef, et tandis que vous essayez de les ouvrir, le Golem se rapproche. Qu'allez-vous faire :

Tirer votre épée et combattre le Golem ?	Rendez-vous au **303**
Utiliser la Formule de Feu ?	Rendez-vous au **4**
Utiliser la Formule de Copie Conforme ?	Rendez-vous au **190**
Abandonner les coffrets et courir vers la porte ?	Rendez-vous au **237**

99

Quelle porte choisir ? Celle de gauche ? Rendez-vous au **52**. Celle de droite ? Rendez-vous au **38**.

100

Avez-vous une Formule de Lévitation ? Si oui, utilisez-la pour sortir du puits ; vous longerez ensuite les remparts jusqu'au coin de la cour. Rendez-vous au **79**. Si vous ne disposez pas de cette formule, rendez-vous au **276**.

101

Le double magique de la Gargouille apparaît. A votre commandement, le combat commence :

GARGOUILLE HABILETÉ : 9 ENDURANCE : 10

Si votre Gargouille gagne, rendez-vous au **62**. Si elle perd, vous décidez de ne pas combattre vous-même la véritable Gargouille, et vous quittez la pièce. Vous vous dirigez vers la porte qui se trouve au milieu du balcon. Rendez-vous au **64**.

102

Trois d'entre eux se tournent alors vers le quatrième, et ce dernier, à contrecœur, prend une amulette autour de son cou. « C'est une Amulette Enchantée. Un Bijou de Lumière est incrusté dans le métal. Les Ganjees craignent ce talisman, et ils feront tout pour que vous le perdiez. Mais nous, les Éclaireurs, les dieux nous ont donné pour mission de secourir notre prochain. C'est pourquoi je vous offre ce talisman. » Vous le remerciez et vous passez l'Amulette Enchantée autour de votre cou. Maintenant, vous pouvez quitter la pièce, mais puisqu'il vous a fait un cadeau si précieux, vous vous sentez obligé de lui donner quelque chose en retour. Si vous avez des Pièces d'Or, décidez du nombre de pièces que vous lui offrirez (et n'oubliez pas de les déduire de votre capital), et rendez-vous au **183**. Si vous n'avez pas de Pièces d'Or, vous pouvez lui offrir un des objets que vous possédez (rayez-le de votre liste), et rendez-vous au **396**. Si vous ne pouvez ou si vous ne voulez rien lui donner, rendez-vous au **270**.

103

Vous prononcez la Formule Magique... Mais rien ne se passe ! Vous dégringolez alors tout au long de la Tour et, finalement, vous vous écrasez au sol ! Les terrifiantes créatures ont mis fin à vos pouvoirs magiques, et... à votre vie. Vous avez échoué dans votre mission.

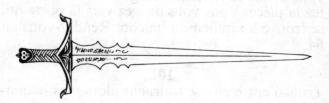

104

Vous tournez la poignée, mais la porte a du mal à pivoter sur ses gonds, et vous devez pousser fort pour l'ouvrir. La pièce dans laquelle vous entrez est une salle à manger, avec des tables, des chaises, des étagères et une collection de têtes d'animaux accrochées aux murs. Le sol est recouvert d'un tapis en peluche. Soudain, l'une des têtes se tourne vers vous et vous observe. C'est un chien. Il se met à aboyer en signe d'avertissement. Et tandis que vous regardez cette tête de chien, un tapis que vous n'aviez pas remarqué s'envole vers vous et vous frôle la tête en vous donnant un petit coup sur l'oreille au passage. Vous vous retournez à temps pour voir l'une des chaises se transformer en homme de haute taille. « Que faites-vous, ici ? » vocifère-t-il. Comment allez-vous réagir ? Souhaitez-vous :

Parler avec cet homme ?	Rendez-vous au **266**
Utiliser une Formule Magique ?	Rendez-vous au **310**
Chercher dans votre sac à dos un cadeau à lui faire ?	Rendez-vous au **54**
Vous hâter de quitter cette pièce et tenter d'ouvrir l'autre porte ?	Rendez-vous au **25**

105

Ce vin est amer et brûlant. Vous le recrachez aussitôt et, à votre grande stupéfaction, un jet de flammes jaillit d'entre vos lèvres. Vous pouvez emporter cet échantillon de vin pour l'utiliser à la place d'une Formule de Feu, quand ce choix vous sera proposé. Mais attention, votre échantillon ne peut servir qu'une fois. Vous vous dirigez ensuite vers la porte du fond de la cave. Rendez-vous au **95**.

106

Elle rit à nouveau et vous dit qu'elle aime voir les gens se mettre en colère. Elle vous accompagne un moment, de fort bonne humeur. Mais il est difficile de converser avec elle. Bientôt, elle croit distinguer quelque chose parmi les ombres, au loin, et se précipite pour aller voir de quoi il s'agit, ce qui vous permet d'avancer vers l'entrée de la Tour Noire. Rendez-vous au **218**.

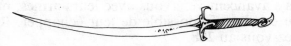

107

Vous avez capturé une, deux, trois ou quatre têtes de l'Hydre avec votre nœud coulant. Elles gigotent pour se libérer, et la créature continue d'avancer. Que faire maintenant ? Rendez-vous au **184**.

108

Vous saisissez fermement la corde, vous prenez votre élan, puis vous courez vers la rivière nauséabonde. Mais soudain, la corde s'agite et se tortille comme si elle était douée de vie. Vous la lâchez aussitôt, et vous vous laissez tomber sur le sol. Mais la corde s'abat sur vous et s'enroule autour de votre corps. Ce n'est pas une corde, c'est un Boa d'Égout, qui vous enserre dans ses anneaux de la tête aux pieds. Rendez-vous au **73**.

109

La créature essaye de forcer la Barrière Invisible qui vous protège et elle déploie tant d'efforts qu'elle parvient à la faire céder ! La Bête est déjà sur vous et vous devez la combattre. Rendez-vous au **30**.

110

Tentez votre Chance. Si vous êtes Chanceux, le nom qui vous vient à l'esprit leur est familier, et ils appellent le gardien du portail qui vous laisse entrer. Rendez-vous au **251**. Si vous êtes Malchanceux, vous donnez un nom inconnu et ils s'avancent vers vous avec leurs armes, prêts au combat. Impossible de leur échapper. Rendez-vous au **288**.

111

Vous avez évité le regard de la Gorgone. Vous êtes maintenant à l'abri dans un coin de la pièce, cachant votre visage avec votre bras. Mais que faire ? Si vous avez un Miroir en Argent, vous pouvez le sortir de votre sac à dos et le diriger vers la Gorgone. Rendez-vous au **347**. Sinon, rendez-vous au **153**.

112

Vous vous libérez des anneaux du Boa d'Égout et vous parvenez ensuite à traverser la rivière nauséabonde sans autre incident, mais vous espérez bien pouvoir prendre un bain au plus vite ! Vous poursuivez votre chemin jusqu'à un carrefour. Si vous voulez continuer tout droit, rendez-vous au **367**. Si vous préférez aller à gauche, rendez-vous au **212**.

113

Vous utilisez contre le Sorcier la Formule de Faiblesse. Aussitôt, il s'immobilise et vous fixe du regard. Son visage est devenu différent, il exprime la souffrance. Il frissonne de la tête aux pieds, son corps est secoué de convulsions. Allez-vous attendre de voir ce qui va se passer ? Rendez-vous au **388**. Préférez-vous tirer votre épée ? Rendez-vous au **145**.

114

Vous pointez votre index vers la base du Tentacule, et vous prononcez la Formule Magique. Un éclair de lumière jaillit aussitôt du trou, et un nuage de fumée s'élève. Le Tentacule se met à trembler, puis il relâche son étreinte et se retire sous terre. Vous frottez votre jambe engourdie et vous vous dirigez vers l'entrée de la Tour Noire. N'oubliez pas de rayer de la liste la Formule de Feu utilisée. Rendez-vous au **218**.

115

Vous êtes en fâcheuse posture. Balthus le Terrible s'est précipité dans votre direction et il est déjà sur vous. Rendez-vous au **373**.

116

Votre bras surpuissant saisit et tire la poignée qui vous reste dans la main. Vous donnez alors un coup de poing en plein milieu de la porte. Le bois craque et cède ; vous pouvez passer à présent. Rendez-vous au **210**.

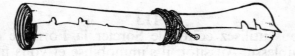

117

Vous tirez votre épée, le Sorcier aussi. Vous êtes trop près l'un de l'autre à présent pour utiliser vos pouvoirs magiques et vous allez devoir livrer le Combat le plus rude depuis le début de votre aventure. Rendez-vous au **337**.

118

La porte s'ouvre et une créature bestiale apparaît. Elle est dotée d'une corne pointue au milieu du front, et sa peau ressemble à une cuirasse.

118 *Une créature bestiale apparaît. Elle est dotée d'une corne pointue au milieu du front, et sa peau ressemble à une cuirasse.*

Elle grogne et vous demande le mot de passe. Le connaissez-vous ? Si oui, rendez-vous au **273**, sinon, il va falloir trouver une astuce pour entrer. Rendez-vous au **198**.

119

Vous revenez à la charge contre le puissant Sorcier. Mais il a disparu ! Vous faites volte-face. Il est derrière vous, une dague à la main. Vous essayez d'éviter l'arme, mais trop tard, la lame s'enfonce dans votre dos ! Vous avez échoué dans votre mission.

120

Vous goûtez le vin rouge et vous hochez la tête. Il est vraiment excellent, rafraîchissant, avec un goût fruité. Vous y goûtez à nouveau. Vous avez la tête plus légère. Ajoutez 2 points à votre total d'ENDURANCE et 3 points à votre total de CHANCE, pour avoir découvert un si délicieux breuvage. Vous remerciez l'Elfe Noir, et vous repartez. Rendez-vous au **95**.

121

Vous foncez sur la porte, et, soudain, elle s'ouvre ! Sur votre lancée, vous bondissez dans la pièce et vous tombez la tête la première ! Déduisez 1 point de votre total d'ENDURANCE, car vous vous êtes écorché les genoux sur le sol rocheux. Rendez-vous au **257**.

122

Vous tentez une ruse simple pour la tromper, mais elle ne s'y laisse pas prendre et elle vous empêchera d'aller plus loin, à moins que vous n'utilisiez vos pouvoirs magiques. Rendez-vous au **47**.

123

Vous vous concentrez sur l'esprit du Calacorm. Vous distinguez alors un plateau rempli de serpents morts, puis une créature à la peau grise, sans doute la femelle du Calacorm. Vous éprouvez ensuite une grande satisfaction à voir une malheureuse créature attachée à un mur, tandis qu'on lui fait rôtir les orteils à l'aide d'une torche enflammée. A nouveau le plateau de serpents morts. De toute évidence, le Calacorm n'a en tête que les menus plaisirs qui peuvent égayer parfois sa misérable vie. Vous n'avez rien appris sur ce qu'il fallait faire pour lui échapper. Peut-être feriez-vous mieux d'utiliser une Formule d'Or du Sot (rendez-vous au **211**) ou une Formule d'Illusion (rendez-vous au **35**) ? Si vous n'avez ni l'une ni l'autre, rendez-vous alors au **283**.

124

Les rideaux arrachés, la lumière du jour pénètre dans la pièce. Vous aviez perdu toute notion de temps depuis votre entrée dans la Citadelle, et le soleil est bien venu après tant d'heures passées dans les ténèbres. Un coup sourd vous fait vous retourner. Le sorcier est affaissé sur le sol. Vous avancez d'un pas, et il pousse un cri à vous glacer le sang. « Les rideaux !... Imbécile !... » bredouille-t-il d'une voix mourante. La clarté du jour diminue rapidement ses forces, et il tente désespérément de ramper vers l'ombre. Mais il est trop faible pour bouger et il s'écroule sur le sol, face contre terre. Rendez-vous au **400**.

125

Vous vous enfuyez en courant, et trois flèches venues de nulle part jaillissent vers vous. *Tentez votre Chance !* Si vous êtes Chanceux, elles vous ratent, et vous atteignez le monument derrière lequel vous vous cachez. Si vous êtes Malchanceux, une de ces flèches s'est fichée dans votre épaule. Déduisez 5 points de votre total d'ENDURANCE, avant de vous mettre à l'abri. Rendez-vous au **209**.

126

Le moment de panique passé, vous vous arrêtez pour réfléchir. Devant vous, se trouvent deux passages, l'un vers la gauche, l'autre vers la droite. Vous entendez des bruits de pas. Trois créatures débouchent peu après du passage de gauche et vous comprenez alors que l'expression « bruits de pas » ne leur convient pas exactement. Rendez-vous au **316**.

127

Elle lève la tête et appelle à l'aide. Le linge pendu sur la corde se met aussitôt à s'agiter. Plusieurs pièces de vêtement quittent alors la corde et s'élancent sur vous. Il s'agit de FANTÔMES à tête de mort. « Protégez-moi, mes fils et mes filles ! » crie-t-elle. Soudain, les vêtements vous cernent. Certains vous fouettent de leurs manches, vous infligeant des douleurs cuisantes. Une autre paire de manches entoure votre cou et commence à le serrer. Vous agitez votre épée en tout sens, mais sans atteindre les Fantômes. Si vous ne voulez pas mourir étranglé, il va falloir utiliser la magie pour vous libérer, à moins que vous ne préfériez offrir un cadeau à la femme. Qu'allez-vous faire ?

Offrir quelques Baies ? Rendez-vous au **53**

Offrir un Miroir en Argent ? Rendez-vous au **387**

Utiliser une formule de Feu ? Rendez-vous au **240**

Si vous n'avez rien à offrir, et si vous n'avez pas cette Formule Magique, rendez-vous au **194**.

128
La Formule Magique fait son effet, et vous recevez les ondes psychiques du Gark. Il a peur que son capitaine ne découvre qu'il était endormi à son poste de garde, laissant ainsi entrer un intrus. Il éprouve également un étrange respect

pour une Brosse à cheveux ciselée qui se trouve apparemment dans la pièce. Mais c'est tout ce que vous parvenez à lire dans ses pensées. Vous devez maintenant vous défendre contre la créature. Allez-vous utiliser :

Votre Épée ?	Rendez-vous au **336**
Une Formule d'Or du Sot ?	Rendez-vous au **36**
Une Formule de Copie Conforme ?	Rendez-vous au **262**
Une Formule de Faiblesse ?	Rendez-vous au **152**

129

Vous vous acharnez quelques instants à essayer d'ouvrir le coffret, mais sans succès. Vous prenez alors votre épée et vous tentez de le briser, mais vous ne parvenez qu'à abîmer votre lame. Déduisez 1 point de votre total d'HABILETÉ. Le coffret est toujours fermé. Allez-vous essayer d'ouvrir :

Le premier coffret ?	Rendez-vous au **260**
Le troisième coffret ?	Rendez-vous au **370**

Ou alors préférez-vous abandonner ces coffrets et poursuivre votre chemin ? Rendez-vous dans ce cas au **237**.

130

La Formule Magique reste sans effet. Rayez-la de votre liste et tirez votre épée. Rendez-vous au **333**.

Vous tirez aussitôt votre épée du fourreau en la pointant vers le Farfadet. Mais ce dernier jette un simple coup d'œil à la lame, et vous vous apercevez avec horreur qu'elle se ramollit jusqu'à pendre de la garde comme une ceinture de cuir. A l'évidence, vous n'arriverez à rien en vous montrant agressif avec le Farfadet. Demandez-lui plutôt votre chemin. Rendez-vous au **348**.

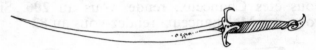

132

Vous entrez dans une bibliothèque. Les quatre murs, du sol au plafond, sont couverts d'étagères remplies de livres. Au centre de la pièce, des tables et des chaises sont alignées. Tout au fond, un homme à la peau sombre lève les yeux de son livre. Il porte de petites lunettes. Derrière lui, se trouve une porte. « Eh bien ! qu'y a-t-il ? vous demande-t-il d'un ton sec. Quel livre cherchez-vous ? » Vous examinez alors les étagères en lisant les étiquettes qui y sont apposées. Qu'allez-vous lui demander :

Une biographie de Balthus le Terrible ?   Rendez-vous au **18**

Les secrets de la Tour Noire ?   Rendez-vous au **238**

La description des créatures du royaume du Pic de la Roche ?   Rendez-vous au **375**

133

Vous prononcez la Formule Magique et votre force soudaine vous permet de franchir facilement le fossé. Vous vous retrouvez alors sur « l'île » et vous forcez la fermeture du coffre. Mais vous poussez un juron en n'y découvrant que de la grenaille de plomb. L'effet de la Formule de Force commence à faiblir, et vous vous hâtez de sauter à nouveau le fossé en direction de l'autre porte. *Tentez votre Chance*. Si vous êtes Chanceux, rendez-vous au **206**. Si vous êtes Malchanceux, rendez-vous au **82**.

134

Ils sont déconcertés par votre audace. Plutôt que d'attendre leur réaction, vous allez directement au but et vous leur demandez comment on entre dans la Tour Noire. Ils désignent simplement l'entrée principale, visiblement impressionnés par votre assurance et chuchotent entre eux ; puis l'Orque vous donne le mot de passe qui vous permettra d'être admis à l'intérieur : « Cimeterre. » Vous leur demandez ce qu'ils savent de la fiole contenue dans le coffret, et ils commencent alors à s'agiter. Allez-vous insister pour qu'ils vous répondent ? Rendez-vous au **60**. Ou bien allez-vous les laisser là et rejoindre les deux hommes que vous avez vus auparavant ? Rendez-vous alors au **269**. Vous pouvez également vous hâter vers la Tour Noire. Rendez-vous dans ce cas au **245**.

135

Les Miks sont passés maîtres en matière d'Illusion, et ils peuvent prendre n'importe quelle forme. On ne sait d'ailleurs pas quel est leur véritable aspect, car il en est peu qui les ont vus sous leur apparence normale. Selon des sources sûres, ils ressemblent à des elfes. C'est un peuple très agressif dont l'arme favorite est un Couteau-Aiguille (une dague fine comme un poinçon) avec lequel ils se battent en corps à corps. Bien qu'ils puissent prendre n'importe quelle forme (homme, bête ou objet), ils sont incapables d'utiliser le métal pour se déguiser. Ils sont également incapables de transformer autre chose qu'eux-mêmes. Rendez-vous au **326**.

136

Les vieilles femmes protestent énergiquement, mais vous leur expliquez que vous avez des ordres et vous commencez à examiner la cuisine. Qu'allez-vous inspecter en premier ?

Les placards ?   Rendez-vous au **17**

Le bouillon dans le chaudron ?   Rendez-vous au **167**

La viande qui cuit à la broche ?   Rendez-vous au **389**

137

L'homme est vieux, et on l'a frappé à la tête avec une massue. Il vous demande un remède, mais vous n'en n'avez pas. Vous pourriez cependant utiliser une Formule d'Endurance pour le soigner ; il vous propose en échange de vous offrir son aide. Si vous êtes d'accord, rendez-vous au **383**. Sinon, laissez-le là et continuez votre chemin le long de la muraille. Rendez-vous au **14**.

138

« Que voulez-vous que je fasse de ça ? » s'excla-me-t-elle. A nouveau, ses yeux deviennent rouge foncé, et elle lance des jets de flamme dans votre direction. Allez-vous utiliser la Formule de Protection ? Rendez-vous alors au **376**. Ou bien préférez-vous quitter la pièce et vous diriger vers la porte du milieu, sur le balcon ? Rendez-vous dans ce cas au **64**.

139

Les trois couteaux vous ratent et viennent s'enfoncer dans la porte derrière vous. Les Roulards sont déjà presque sur vous. Il faut prendre rapidement une décision ! Allez-vous les combattre (rendez-vous alors au **346**) ? Ou préférez-vous la magie ? Quelle Formule utiliserez-vous dans ce cas :

Illusion ?   Rendez-vous au **244**

Feu ?   Rendez-vous au **28**

140

Vous quittez la pièce et vous longez un petit couloir. Quelques mètres plus loin, vous vous trouvez au pied d'un escalier en colimaçon qui conduit directement dans la Tour de la Citadelle. Vous en grimpez les marches avec précaution et vous arrivez bientôt sur un palier. Il y a deux portes face à vous. Allez-vous essayer d'ouvrir la porte de gauche ? Rendez-vous au **25**. Si vous préférez celle de droite, rendez-vous au **104**.

141

Le liquide contenu dans le calice est salé et vous donne soudain des sueurs froides ; vous vous mettez à trembler et vous vous cramponnez à l'autel pour essayer de retrouver le contrôle de vous-même ; mais, dans un spasme, vous renversez les deux autres calices et vous tombez sur le sol. Vous êtes en proie à de terribles malaises, et votre esprit se brouille. Comme dans un rêve, vous voyez alors une étrange et robuste créature assise à une table. Elle a deux têtes, une longue queue, et sa peau est couverte d'écailles grises. A la main, elle tient un trousseau de clefs. Un instant plus tard, une souris traverse la table en courant et en poussant des cris aigus qui vous réveillent en sursaut. Vous revenez aussitôt à la réalité et vous vous dirigez à tâtons vers la porte : vous avez besoin d'air frais. Vous quittez enfin la pièce, et vous vous reposez quelques instants avant de repartir vers la Tour Noire. Rendez-vous au **156**.

142

Vous n'entendez aucun bruit derrière la porte. La poignée tourne sans difficultés, et la porte s'ouvre sur une petite pièce où un chandelier d'or est posé sur une table. Soudain, vous entendez un craquement sous vos pieds, et le carrelage se dérobe aussitôt, révélant une trappe. Vous tombez alors dans un puits et, lorsque

144 *En ouvrant la porte de la « Cave », vous avez fait sonner une petite cloche, et une silhouette s'avance vers vous.*

vous en heurtez le fond, vous roulez sur vous-même le long d'un passage en pente sans pouvoir rien faire pour arrêter votre chute. Vous atterrissez enfin dans une petite pièce, mais le choc a été si rude que la tête vous tourne et vous avez tout juste le temps de percevoir quelques exclamations poussées autour de vous avant de perdre connaissance. Rendez-vous au **234**.

143

Lorsque vous prononcez la Formule Magique, vous ne voyez apparaître qu'une moitié d'Hydre. L'Hydre tout entière est si grande, en effet, qu'une seule Formule de Copie Conforme ne suffit pas à la reproduire. Si vous avez une seconde Formule, vous pouvez l'utiliser. Rendez-vous dans ce cas au **360**. Vous pouvez également chercher dans votre sac à dos quelque objet qui vous viendrait en aide. Rendez-vous alors au **226**. Si vous ne pouvez ou ne voulez user de ces deux possibilités, rendez-vous au **184**.

144

La porte s'ouvre sur un couloir étroit que vous suivez jusqu'à une autre porte ouvragée sur laquelle on a inscrit le mot « Cave ». Vous tournez la poignée et vous passez la tête par l'entre-bâillement : il y a là des rangées de casiers remplis de bouteilles... Serait-ce du vin ? Quelques chandelles éclairent faiblement l'endroit. En ouvrant la porte, vous avez fait sonner une petite cloche, et une silhouette s'avance vers vous en clopinant. Allez-vous tirer votre épée ? Rendez-vous dans ce cas au **154**. Si vous préférez attendre que le petit personnage vous adresse la parole, rendez-vous au **56**.

145

Votre épée à la main, vous sautez par-dessus la table en direction du Sorcier. Celui-ci a la tête dans les mains et vous tourne le dos. Est-il en train de se concentrer pour lutter contre les effets de votre Formule de Faiblesse ? Rendez-vous au **80**.

146

Vous pouvez leur poser une question. Mais laquelle ?

Comment vaincre Balthus le Terrible ?	Rendez-vous au **247**
Où mènent les deux portes devant vous ?	Rendez-vous au **201**
Comment éviter les Ganjees ?	Rendez-vous au **102**
Vous êtes quelque peu fatigué : peuvent-ils vous aider ?	Rendez-vous au **66**

147

Le Golem s'écrase sur le sol et se brise en mille morceaux. Soulagé, vous allez examiner les coffrets. Allez-vous essayer d'ouvrir :

Le premier coffret ?   Rendez-vous au **260**
Le deuxième coffret ?   Rendez-vous au **129**
Le troisième coffret ?   Rendez-vous au **370**

148

Le Sorcier a un ricanement de mépris. « Ceux qui t'ont envoyé en mission t'ont aussi envoyé à la mort ! » A ces mots, il tire une dague de sa ceinture et la plante dans votre poitrine. Vous avez échoué dans votre mission.

149

Votre compagnie ne les intéresse pas, et ils vous demandent de passer votre chemin. Vous pouvez continuer vers la Tour. Rendez-vous alors au **245**. Vous pouvez poursuivre votre chemin en prenant à gauche, pour aller explorer le monument au centre de la cour ; rendez-vous au **209**. Mais vous pouvez aussi vous asseoir auprès du feu, malgré tout. Rendez-vous dans ce cas au **380**.

150

Vous vous baissez pour éviter le Trident et il rate votre cou, mais ricoche sur votre front. Déduisez 2 points de votre total d'ENDURANCE. Rendez-vous au **374**.

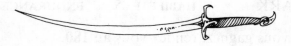

151

Les armures sont de toutes formes et de toutes tailles et en imaginant les étranges créatures pour lesquelles on les a fabriquées, vous ne pouvez vous empêcher de frissonner. Peut-être allez-vous bientôt rencontrer quelques-uns de ces monstres ? Alors que vous examinez une armure particulièrement impressionnante, sa main se lève soudain et vous frappe violemment au visage ! Vous reculez en titubant et en crachant du sang. Déduisez 2 points de votre total d'ENDURANCE. L'armure ensuite ne bouge plus mais vous estimez plus prudent de monter les escaliers. Allez-vous choisir l'escalier de gauche (rendez-vous au **19**), ou celui de droite (rendez-vous au **197**) ?

152

La créature s'arrête aussitôt, ne comprenant pas ce qui lui arrive. Avec quelque effort, elle soulève sa hache, tout en s'avançant vers vous. Mais visiblement, ce n'est plus un adversaire aussi redoutable qu'auparavant. Vous tirez votre épée pour achever le Gark.

GARK   HABILETÉ : 5   ENDURANCE : 5

Si vous gagnez, rendez-vous au **180**.

153

Vous êtes sans pouvoir contre la Gorgone et vous tombez lourdement dans un coin. Le Sorcier appelle ses gardes qui apparaissent quelques minutes plus tard. Ils vous ramassent et vous sortent de la salle. Leur chef demande des instructions au Sorcier. « Exécutez ce rustre ! » répond Balthus le Terrible. Vous avez échoué dans votre mission.

154

La créature s'arrête pour prendre quelque chose dans un petit sac attaché à sa ceinture. Clopin-clopant, elle s'approche de vous, et sa silhouette se précise : il s'agit d'un ELFE NOIR, grand et mince, avec des oreilles en forme de pointe de flèche et une jambe plus courte que l'autre. Dans sa main, il tient un petit objet muni d'un mécanisme qu'il déclenche, transformant aussitôt l'objet en un fleuret. Allez-vous combattre (rendez-vous au **275**), ou baisser votre épée et parler avec lui (rendez-vous au **56**) ?

155

Votre main cherche la poignée de votre épée, et vous parvenez à la tirer de son fourreau. Mais vous n'attaquez pas le Sorcier, car une force mystérieuse vous pousse à lui offrir votre arme, ce que vous faites. Il l'accepte. Rendez-vous au **65**.

156

En traversant la cour, vous marchez le long d'un renflement qui semble relier la Tour Noire au temple ; on dirait une canalisation enfouie à fleur de terre. Vous vous penchez pour l'examiner : peut-être s'agit-il d'une simple galerie de taupe ? Mais dès que vous en touchez la surface, il se rétracte, et vous voyez surgir un long Tentacule gris, couvert de verrues, qui s'enroule aussitôt autour de votre jambe. Comment allez-vous combattre cette « chose » ?

En tirant votre épée ? Rendez-vous au **71**

En utilisant une Formule
de Lévitation ? Rendez-vous au **284**

En utilisant une Formule
de Feu ? Rendez-vous au **114**

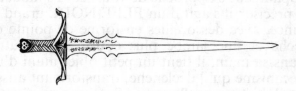

157

Le Sorcier pousse un cri de douleur et s'éloigne en se tenant la tête. Vous le poursuivez et il se retourne pour vous faire face. Vous en avez le souffle coupé ! Son visage en effet s'est transformé en celui d'une horrible vieille sorcière à la peau ridée. Sa chevelure grouille de serpents qui sifflent sur sa tête. Allez-vous l'attaquer (rendez-vous au **199**), ou battre en retraite (rendez-vous au **232**) ?

156 *Vous voyez surgir un long Tentacule gris, couvert de verrues...*

158

La bête se met à gémir, tandis que la Formule Magique produit son effet. Sans sa force habituelle, elle n'est plus qu'une masse pesante qui s'effondre aussitôt. Vous lui plantez alors votre épée dans la poitrine et la malheureuse meurt bientôt à vos pieds. Rendez-vous au **77**.

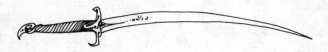

159

Vous prononcez la Formule de Faiblesse. Plein d'espoir, vous attendez que la force de la créature invisible diminue. Mais vous constatez avec stupeur que ses dents vous mordent avec une férocité accrue. La douleur est insupportable, et, au moment où les mâchoires de la créature se referment sur votre gorge, vous vous évanouissez. Rendez-vous au **323**.

160

La Tête de Chien s'élance vers vous et vous arrache la Myriade. Les trois créatures l'examinent et semblent fascinées. Vous profitez de l'occasion pour vous glisser jusqu'à la porte du fond. Rendez-vous au **206**.

Votre indifférence la vexe, et le Tourbillon s'élève à nouveau, mais cette fois, il vous renverse. Vous essayez d'avancer à quatre pattes, mais la Femme-Tourbillon se place toujours en face de vous. Qu'allez-vous faire pour essayer de vous débarrasser d'elle ?

Montrer votre colère ?   Rendez-vous au **106**

Vous efforcer de l'amadouer ?   Rendez-vous au **390**

162

La force envahit votre corps. Vos muscles augmentent de volume, et les créatures, impressionnées, marquent le pas. Votre main saisit alors la poignée de votre épée. Vous vous apprêtez au combat. Mais à votre grand dam, votre force est à présent si difficile à contrôler que, dès le premier coup porté, l'épée vous échappe des mains et s'envole dans les airs, pour atterrir quelques mètres plus loin ! Les créatures ricanent et s'avancent vers vous. Maintenant, vous devez les combattre à mains nues ou profiter de votre force nouvelle pour fuir à toutes jambes. Si vous choisissez l'affrontement, vous devrez combattre les créatures chacune à son tour.

	HABILETÉ	ENDURANCE
SINGE-CHIEN	7	4
CHIEN-SINGE	6	6

Le combat doit être mené selon les règles habituelles, car si vous bénéficiez d'une force phénoménale, vous n'avez cependant pas d'arme. Si vous gagnez, vous pouvez récupérer votre épée, et votre force redeviendra normale. Rendez-vous au **32**. Si vous choisissez la fuite, vous recommencerez demain soir votre mission. Quel que soit votre choix, n'oubliez pas de rayer la Formule de Force que vous venez d'utiliser.

163

Vous avalez une gorgée de vin blanc. Il est infect ! L'Elfe Noir attend. Ne voulant pas le vexer, vous avalez une autre gorgée en grimaçant, puis vous le remerciez en lui expliquant qu'il vous faut repartir de la Cave. Ces deux gorgées de vin blanc vous ont donné la nausée et vous vous sentez très malade. Déduisez 1 point de votre total d'HABILETÉ et 2 points de votre total d'ENDURANCE. Rendez-vous au **95**.

164

La porte est en métal massif, et il ne faut pas espérer la défoncer, même avec une Formule Magique de Force. Etre arrivé si près du but et échouer au dernier moment ! Quelle déception ! A présent, il n'est plus question de continuer ; il vous faudra tout recommencer à zéro et essayer cette fois de trouver la combinaison. Si vous disposez d'une Formule de Lévitation, utilisez-la pour sortir de la Citadelle, et vous repartirez demain à l'assaut de la Tour Noire.

165

La formule opère. Vous tirez votre épée et vous creusez dans le mur de terre un trou assez profond pour y poser le pied. Puis vous continuez ainsi, parvenant à remonter assez rapidement le long de la paroi du puits grâce à votre force nouvelle. Mais à mi-hauteur, votre force commence à diminuer, et vous risquez de retomber au fond du puits. Voulez-vous utiliser une seconde Formule de Force ? Rendez-vous au **398**. Sinon, vous pouvez essayer d'appeler au secours. Rendez-vous au **202**.

166

Lorsque vous mordez dans la viande, vous entendez un faible cri de souffrance. La viande est dure et salée, mais elle n'a pas mauvais goût, et vous en prenez un autre morceau. A nouveau, vous entendez un cri, et, cette fois, le morceau de viande vous saute des mains ! Vous le ramassez, mais il essaye de vous échapper. Cette viande est vivante, et elle crie lorsque vous la mangez ! Vous sentez alors qu'on vous donne un coup, puis deux à l'intérieur même de votre estomac. Les deux bouchées que vous avez avalées s'efforcent de sortir de votre corps ! Vous tombez à terre, en vous tenant le ventre.

La viande avalée vous infligera trois « assauts » avant d'être digérée ! Jetez deux dés, à trois reprises. Chaque fois que le chiffre obtenu sera supérieur à votre total d'HABILETÉ, vous perdrez 2 points d'ENDURANCE. Mais si les dés vous donnent *trois fois* un total supérieur à celui de votre HABILETÉ, vous ne survivrez pas et ce sera la fin de votre aventure. Si vous en réchappez, vous quittez la pièce soit par la porte de gauche (rendez-vous au **13**), soit par la porte d'en face (rendez-vous au **281**).

169 *La pièce est une grande salle à manger.
Au centre, vous voyez une longue table
entourée d'une cinquantaine de chaises.
Plusieurs portes donnent sur cette salle...*

167

Vous vous penchez au-dessus du bouillon.
Beurk ! C'est répugnant ! Vous demandez aux
trois vieilles ce qu'elles mijotent là-dedans, et
vous voyez alors l'une d'elles faire quelques ges-
tes de la main en direction de la marmite. Aussitôt, vous rejetez la tête en arrière, mais trop
tard ! Un énorme POISSON-MORDEUR jaillit du chaudron et vous plante ses dents dans le
nez. *Tentez votre Chance.* Si vous êtes Chanceux, rendez-vous au **224**. Sinon, rendez-vous
au **331**.

168

Vous sortez l'Amulette et vous l'agitez devant
les Ganjees, qui reculent d'un pas, visiblement
impressionnés. « Entrez, étranger ! dit alors une
voix. Nous ne vous importunerons pas. Passez
par la porte du fond. » A ces mots, une porte
située dans un coin se met à luire faiblement.
Vous vous en approchez et vous l'ouvrez. Rendez-vous au **328**.

169

La pièce est une grande salle à manger. Au centre, vous voyez une longue table entourée d'une
cinquantaine de chaises. Plusieurs portes donnent sur cette salle, mais ce qui vous intéresse

surtout, ce sont deux escaliers qui mènent à un balcon la surplombant. Les murs sont ornés de tableaux et d'armures. Qu'allez-vous faire ?

Monter l'escalier de
gauche ? Rendez-vous au **19**

Monter l'escalier de
droite ? Rendez-vous au **197**

Examiner les tableaux ? Rendez-vous au **317**

Examiner les armures ? Rendez-vous au **151**

170

Votre corps s'anime d'une force nouvelle et vous foncez sur la porte comme un boulet. Jetez un dé. Si vous faites 1, 2 ou 3, la porte ne cède pas, et vous perdez 2 points d'ENDURANCE. Si vous faites 4, 5 ou 6, vous enfoncez la porte. Rendez-vous alors au **292**. Vous pouvez recommencer autant de fois que vous le voulez, jusqu'à ce que la porte soit défoncée. Mais vous pouvez également choisir d'aller vers la porte du milieu (rendez-vous au **64**) ou vers la porte la plus éloignée (rendez-vous au **304**).

171

Pour jouer au Pique-Six, vous avez besoin d'au moins 1 Pièce d'Or. Si vous n'en avez pas, vous pouvez utiliser une Formule d'Or du Sot et le Maître des Jeux vous donnera 10 Pièces en échange de votre faux or. (Si vous n'avez ni

Pièce d'Or, ni cette Formule Magique, vous ne pourrez pas jouer.) Choisissez autant de chiffres que vous voudrez entre 1 et 6, et misez autant de Pièces d'Or que vous le voudrez sur ces chiffres. Écrivez vos choix et les mises correspondantes. Jetez un dé. S'il tombe sur un chiffre de votre choix, vous gagnez cinq fois la mise. Vous pouvez jouer aussi longtemps qu'il vous plaira, mais vous avez également la possibilité de changer et de jouer plutôt à la Dague-Dingue (rendez-vous au **365**), ou au Roc-Bombe (rendez-vous au **278**). Si ces jeux ne vous amusent pas, rendez-vous au **31**. Mais si vous disposez de Pièces d'Or ou d'une Formule d'Or du Sot, vous devrez obligatoirement jouer au moins une fois au Pique-Six avant d'avoir le droit de quitter la salle de Jeux.

172

Vous attaquez la Gargouille et votre épée rebondit contre son corps de pierre avec un bruit métallique. Vous ne pourrez pas la blesser avec votre lance et il ne vous reste plus qu'à utiliser vos pouvoirs magiques (rendez-vous au **26**), ou un des objets contenus dans votre sac à dos (rendez-vous au **289**).

173

Vous vous concentrez et, soudain, un nuage de gaz verdâtre jaillit de votre index. La Femme-Tourbillon comprend qu'en tourbillonnant elle va obligatoirement aspirer ce gaz et elle recule aussitôt. Quand elle s'est suffisamment éloignée, vous filez à toutes jambes vers la Tour Noire. Rendez-vous au **218**.

174

Le passage suit de nombreux méandres puis aboutit enfin à un escalier. Vous en montez les marches et vous vous retrouvez dans un autre passage qui se termine bientôt en impasse. En examinant le mur, vous découvrez un petit levier que vous tirez. Le mur pivote alors lentement et se referme derrière vous après votre passage. Vous êtes maintenant devant une porte close. Allez-vous essayer de l'enfoncer ? Rendez-vous au **268**. Souhaitez-vous utiliser une Formule de Force ? Rendez-vous au **116**.

175

La créature n'a jamais entendu parler d'un nommé Pincus. Le Chien-Singe, armé jusqu'aux dents, s'avance en grognant. Il faut choisir un autre nom (rendez-vous au **110**), ou vous préparer au combat (rendez-vous au **288**).

176

Tandis que vous vous approchez d'elle, elle se retourne pour vous observer. Votre épée ne l'impressionne pas le moins du monde : « Posez votre arme, jeune étranger, dit-elle, je ne suis qu'une vieille femme et je ne vous ferai aucun mal. » Que faites-vous ?

Vous ne la croyez pas et vous continuez d'avancer avec votre épée ?	Rendez-vous au **127**
Vous rangez votre épée et vous parlez avec elle ?	Rendez-vous au **21**
Vous utilisez une Formule de Télépathie ?	Rendez-vous au **329**

177

Vous êtes dans un couloir étroit, long de quelques mètres, qui aboutit à une porte. Mais, à mi-chemin, vous apercevez un passage voûté, avec des marches qui descendent. Poursuivrez-vous votre chemin vers la porte ? Rendez-vous au **5**. Descendrez-vous les marches ? Rendez-vous au **344**.

178

Vous faites le tour de la cuisine, suivi par le Devlin. Vous lui jetez des chaises, de la nourriture, des couteaux et des bols, mais sans résultat. Vous lancez alors une coupe pleine de liquide à travers la pièce et le Devlin pousse un cri aigu. Son corps de flamme a été éclaboussé ! Une idée vous vient aussitôt. Vous vous approchez de la marmite pour y attirer la créature qui, bientôt, vous poursuit en courant autour du chaudron. Et, soudain, vous vous arrêtez, tous les deux face à face, de part et d'autre du liquide bouillonnant. Vous soulevez alors le chaudron et vous en renversez le contenu sur la créature qui se met à hurler, tandis que s'éteint son corps de flamme, noyé dans le bouillon. A présent, vous pouvez regarder dans le placard (rendez-vous au **17**), ou quitter la cuisine par la porte du fond (rendez-vous au **265**).

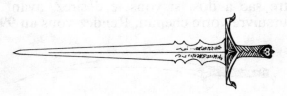

179

Vous sortez de l'ombre en direction du centre de la cour. « Halte ! On ne bouge plus ! » crie alors une voix. Vous vous retournez, mais vous ne voyez personne et vous avancez encore de deux pas. A nouveau, la voix mystérieuse vous ordonne de vous arrêter, et, cette fois, une flèche vient en sifflant se planter près de votre pied gauche. Vous faites un bond en arrière et vous ne voyez toujours personne. Vous êtes à la merci d'un ennemi invisible. Qu'allez-vous faire ?

Continuer d'avancer tant
bien que mal ?   Rendez-vous au **378**

Courir vers le monument
au centre de la cour ?   Rendez-vous au **125**

Utiliser une Formule de
Protection ?   Rendez-vous au **341**

180

Le grand Gark est mort ! Vous attendez une minute pour voir si le combat a attiré l'attention des gardes, mais tout paraît tranquille. Vous fouillez alors les vêtements de la créature, mais vous ne découvrez rien de grande valeur. Dans une bourse attachée à sa ceinture, vous trouvez cependant 6 Pièces d'Or et une Brosse à Cheveux ouvragée. Vous pouvez les mettre dans votre sac à dos, si vous le désirez, avant de poursuivre votre chemin. Rendez-vous au **99**.

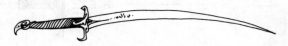

181

Vous prononcez la Formule Magique, et le Tapis Volant passe au-dessus de vous sans vous toucher, mais un second Tapis, identique au premier, se met à son tour à voltiger autour de la pièce. La Tête de Chien quitte alors le mur et vient sauvagement vous mordre le bras. Vous perdez 2 points d'ENDURANCE. De son côté, l'homme qui s'est changé en serpent rampe dans votre direction, puis vous attaque en cherchant à vous mordre à la jambe. *Tentez votre Chance.* Si vous êtes Chanceux, les crochets du serpent n'ont fait que vous égratigner, mais vous perdez quand même 2 autres points d'ENDURANCE. Si vous êtes Malchanceux, ses crochets s'enfoncent profondément dans votre mollet. En un éclair, vous comprenez que cette morsure est mortelle, et vous vous écroulez sur le sol en vous tordant de douleur. Le poison fait son effet et vous perdez peu à peu conscience. Vous avez échoué dans votre mission. Si, par chance, vous avez survécu, vous n'êtes pas indemne pour autant. Votre corps est tout endolori, et vous avez le choix à présent entre offrir un cadeau à vos adversaires (rendez-vous au **54**), ou vous hâter de quitter la pièce par l'autre porte (rendez-vous au **25**).

182

Vous êtes littéralement aspiré dans la pièce, et, comme par magie, la flamme de votre torche vacille, puis s'éteint. La pièce devient aussitôt noire comme un four. Venant de nulle part et de partout éclate alors un rire moqueur. « Jeune imbécile ! dit une voix dont le registre oscille entre le grave et l'aigu, sois le bienvenu chez les GANJEES ! Dommage pour toi, mais ce sera la dernière salle que tu visiteras... Il est vrai que tu ne peux pas voir grand-chose ! Bah, l'essentiel c'est que *nous* te voyions parfaitement, n'est-ce pas mes frères ? » Des rires viennent ponctuer ces paroles, et, soudain un visage fantomatique apparaît dans le noir, s'avançant vers vous comme suspendu dans les airs. Vous vous jetez à terre en vous recroquevillant pour vous protéger : cette fois, vous avez vraiment peur. Vous perdez 1 point d'HABILETÉ, 2 points d'ENDURANCE et 1 point de CHANCE, en raison de la terreur qui vous saisit. Qu'allez-vous faire à présent ?

Utiliser une Formule de Feu ?	Rendez-vous au **85**
Utiliser une Formule d'Illusion ?	Rendez-vous au **395**
Chercher dans votre sac à dos un objet qui pourrait vous aider ?	Rendez-vous au **322**
Tirer votre épée ?	Rendez-vous au **248**

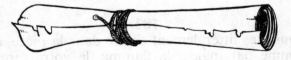

183

Il vous remercie avec effusion. Vous vous êtes fait un ami. Rendez-vous au **270**.

184

Tandis que vous vous demandez comment faire pour lui échapper, l'Hydre s'avance. Deux de ses têtes vous mordent, l'une au bras et l'autre au cou. Leurs dents pointues ont transpercé votre peau et pénétré profondément dans votre chair. Vous êtes perdu. Vous avez échoué dans votre mission.

185

La porte s'ouvre sur un étroit couloir qui oblique vers la gauche, continue sur quelques mètres puis aboutit à une autre porte dont vous saisissez la poignée. Rendez-vous au **13**.

186

L'homme grand approuve et tente de convaincre le petit qu'il s'agit là d'un juste prix. Le petit homme pousse des jurons et marmonne entre ses dents, offrant 6, puis 7 Pièces d'Or, mais le prix de la dague a été fixé à 8. Vous pouvez, si vous le souhaitez, offrir 8 Pièces d'Or à l'homme grand. Si vous choisissez cette solution, utilisez la formule d'Or du Sot et rendez-vous au **15**. Sinon, le petit homme acceptera finalement de payer les 8 Pièces d'Or et s'en ira avec la dague. Vous pouvez dans ce cas rester auprès de l'homme grand pour bavarder avec lui en vous rendant au **83**. Si vous préférez continuer votre chemin, rendez-vous au **245**.

Vous vous concentrez sur l'esprit du Sorcier. Des images et des mots défilent alors dans votre tête. Puis, au bout de quelques secondes, plus rien. Vous levez les yeux sur le Sorcier : celui-ci vous contemple avec fureur. « N'essaye pas de lire dans les pensées de Balthus le Terrible ! » s'exclame-t-il. Vous vous concentrez à nouveau, mais en vain : il a réussi à annihiler vos pouvoirs télépathiques. Vous repensez alors aux images et aux sons que vous avez tout d'abord perçus : une carte et un plan de bataille... un grand cri perçant... une lumière aveuglante... un anneau à son doigt... une lame d'épée tranchante comme un rasoir... et vous !

Le Sorcier marmonne entre ses dents, tout en vous fixant d'un seul œil. Puis il lève une main et la regarde en se concentrant. Il vous fixe ensuite, et agite sa main d'avant en arrière, de côté et d'autre, de plus en plus vite avant de l'abattre sur la table. Vous tombez aussitôt par terre, non pas sous l'effet de la surprise, mais parce que le sol remue en tous sens sous vos pieds. La salle entière tangue et roule comme un bateau en pleine tempête. D'un pas très assuré, le Sorcier marche vers vous, mais vous êtes, pour votre part, incapable de vous relever. Il n'y a plus guère que la magie qui puisse vous être de quelque secours, si toutefois il vous reste encore des Formules de :

Lévitation   Rendez-vous au **279**
Illusion   Rendez-vous au **314**

Si vous ne disposez d'aucune de ces formules, rendez-vous au **115**.

Soudain, un éclair de lumière vous aveugle. Vous vous protégez les yeux, puis vous les frottez... Mais vous ne voyez plus rien ! Pris de panique, vous entendez un sourd grondement. Des pas feutrés se rapprochent. Une créature invisible rugit alors et vous hurlez de douleur lorsqu'elle enfonce ses dents pointues dans votre jambe. Qu'allez-vous faire ?

Utiliser une Formule de Force ?   Rendez-vous au **301**

Utiliser une Formule de Faiblesse   Rendez-vous au **159**

Tirer votre épée et frapper à l'aveuglette ?   Rendez-vous au **51**

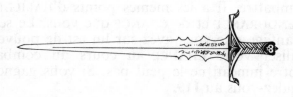

Choisissez l'une de ces Formules Magiques :

Illusion :   Rendez-vous au **319**

Protection :   Rendez-vous au **130**

Faiblesse :   Rendez-vous au **43**

Si vous ne disposez d'aucune d'entre elles, vous allez devoir combattre. Rendez-vous au **333**.

190

Un double parfait du Golem se matérialise et vous lui ordonnez d'attaquer le vrai Golem qui se trouve, à présent, tout près de vous. Menez le combat des Golems.

GOLEM   HABILETÉ : 8   ENDURANCE : 10

Si votre Golem magique gagne le combat, rendez-vous au **147**. Sinon, il faut achever le combat vous-même. Si vous gagnez, rendez-vous également au **147**.

191

Vous êtes surpris par le sortilège du Sorcier. Il a créé votre double, un double parfait, disposant d'une épée semblable à la vôtre. Sur l'ordre de Balthus, votre jumeau s'avance et vous devez le combattre. Il a les mêmes points d'HABILETÉ, d'ENDURANCE et de CHANCE que vous. Le seul avantage que vous avez sur lui est de pouvoir utiliser votre CHANCE au cours du combat. Votre jumeau ne le peut pas. Si vous gagnez, rendez-vous au **119**.

192

Vous prononcez la formule magique juste à temps. Le projectile vient frapper votre bouclier invisible, et s'écrase contre lui avant de se répandre sur le sol. Vous examinez alors l'espèce de bouillie produite par le choc et vous vous apercevez que c'est une tomate qui a failli vous atteindre ! Au milieu de la pièce, le petit bonhomme endormi se réveille. Rendez-vous au **29**.

193

Choisissez une Formule Magique :

Or du Sot   Rendez-vous au **211**

Télépathie   Rendez-vous au **123**

Illusion   Rendez-vous au **35**

Si vous ne disposez d'aucune de ces Formules, rendez-vous au **283**.

194

L'étreinte se resserre autour de votre cou, et pour la dernière fois de votre existence vous éprouvez un sentiment de terreur tandis que ces créatures aux longs visages macabres se réjouissent de votre mort. Vous avez échoué dans votre mission.

195

Suivi des yeux par Balthus le Terrible, vous plongez derrière la table sur laquelle est étalée le plan de bataille. La minuscule boule de feu plonge, elle aussi, mais passe au-dessus de votre tête. Il va falloir très vite utiliser vos pouvoirs magiques pour contre-attaquer. Rendez-vous au **377**.

196

La pièce est un garde-manger. Vous êtes tout d'abord surpris par un mélange d'odeurs douceâtres, épicées et rances. Des morceaux de viande pendent à des crochets le long du mur. Dans un coin, se trouve un tonneau rempli de fruits exotiques. Sur des étagères s'alignent une douzaine de fromages différents dont l'odeur vous arrache une grimace : de toute évidence, certains d'entre eux sont beaucoup trop faits. Six miches de pain noir sont posées sur une table à côté d'une planche à découper et d'un couteau. Deux autres portes permettent de sortir de la pièce. Si vous avez faim, vous pouvez essayer de manger quelque chose. Rendez-vous alors au **45**. Sinon, vous quitterez le garde-manger soit par la porte de gauche (rendez-vous au **13**), soit par celle de droite (rendez-vous au **281**).

197

Les vieilles marches craquent sous vos pas. Vous montez avec précaution jusqu'au balcon. Rendez-vous au **363**.

198

Vous n'avez pas le temps de réfléchir et vous prenez une poignée d'herbes dans votre sac pour les montrer à l'Homme-Rhino. Vous lui dites que vous êtes un herboriste venu soigner le bibliothécaire, qui est gravement malade. Le messager venu vous chercher ne vous a jamais donné le mot de passe. L'Homme-Rhino va-t-il vous croire ? *Tentez votre chance* Si vous êtes Chanceux, il vous croit et vous laisse entrer. Rendez-vous alors au **177**. Si vous êtes Malchanceux, il ne veut rien entendre. Vous n'entrerez pas sans le mot de passe et il s'avance vers vous en pointant sa lance. Rendez-vous au **290**.

199

Le Sorcier s'est transformé en une Gorgone, une créature extrêmement dangereuse, qui a le pouvoir de changer en pierre celui qui la regarde dans les yeux. Or vous vous ruez sur Balthus le Terrible en le regardant justement droit dans les yeux. Le Sortilège opère aussitôt. Vos articulations se raidissent et vous tombez à terre. Votre conscience s'efface alors à mesure que vous vous transformez en une statue de pierre aux pieds de Balthus le Terrible... Vous avez échoué dans votre mission.

200

Vous avez bougé. La créature sort de sa torpeur et s'avance vers vous. Vous pouvez courir en direction de la porte qui se trouve au bout de la pièce (rendez-vous au **237**), ou bien vous approcher des coffrets en prenant alors le risque d'affronter le géant silencieux. Rendez-vous au **98**.

201

Ils vous désignent les deux portes. Celle de gauche, disent-ils, conduit à la cuisine où les cuisiniers préparent le dîner. La porte de droite mène au Grand Hall où ont lieu tous les banquets. Rendez-vous au **270**.

202

Après avoir hurlé pendant quelques minutes, vous entendez des voix parler dans une langue inconnue. Les voix se rapprochent et à votre grand soulagement, vous apercevez quatre têtes qui se penchent vers l'intérieur du puits. Vous criez aux quatre hommes de vous jeter une corde et ils échangent avec vous quelques paroles puis disparaissent. Peu après, vous les entendez qui reviennent en courant. Ils se penchent à nouveau au-dessus du puits et vous jettent alors non pas une corde, mais un chaudron d'huile bouillante. Lors de votre prochaine mission, faites donc un peu attention où vous mettez les pieds. En tout cas votre aventure pour le moment est terminée. Et souvenez-vous : les étrangers ne sont pas les bienvenus dans la Citadelle du Chaos...

203

En courant vers les portes, vous trébuchez, ce qui permet au Gark de gagner du terrain. Il vous attrape par le bras et vous projette à travers la pièce. Vous atterrissez lourdement contre le mur, sous le miroir. Vous avez alors le choix entre le combat à l'épée (rendez-vous au **16**), et la Magie (rendez-vous au **11**).

204

Vous vous bouchez le nez et vous avancez dans l'eau vaseuse. Mais, après avoir fait deux pas, vous sentez qu'on vous attrape la jambe. En la sortant de l'eau vous vous apercevez qu'une plante grimpante s'est enroulée autour d'elle ! Vous sautez aussitôt sur la rive, la plante toujours agrippée à votre mollet. L'autre extrémité du végétal surgit alors de l'eau, se dresse et se tourne vers vous comme pour vous regarder, puis retombe avec bruit dans la vase. Vous comprenez à cet instant qu'il ne s'agit pas d'une plante grimpante mais d'un immonde BOA

D'ÉGOUT,qui rampe à présent dans votre direction. Rendez-vous au **73**.

205

L'homme à la haute taille est révolté par le prix que vous demandez, mais le petit accepte. La dispute devient alors orageuse et le grand tire son épée. Le petit homme fait de même et, comme vous êtes vous-même menacé, vous les imitez. Le petit homme est votre allié contre le grand et il vous faut mener le combat. Avant chaque *Assaut,* jetez un dé. Si le chiffre obtenu est impair, le grand attaque d'abord le petit, et vous pouvez rester à l'écart (bien qu'il vous incombe de jeter les dés pour le petit). Si le chiffre est pair, c'est vous que le grand attaque (et le petit reste à l'écart). Si le petit homme meurt au cours du combat, le grand continuera à se battre contre vous.

	HABILETÉ	ENDURANCE
LE GRAND	8	8
LE PETIT	7	6

Lorsque le combat aura pris fin, si le petit homme vit toujours, rendez-vous au **309**. S'il a été tué, rendez-vous au **368**.

206

Vous franchissez la porte et vous voici au pied d'un autre escalier en colimaçon qui mène à la Tour Noire. Vous en grimpez les marches et vous arrivez à un palier où il n'y a qu'une seule porte. Vous en tournez la poignée, et la porte s'ouvre lentement. Rendez-vous au **182**.

Vous ouvrez la porte et vous scrutez les ténèbres. Puis vous faites deux pas en avant. Vos yeux commencent à s'habituer à l'obscurité, et vous refermez la porte derrière vous, en prenant congé du Farfadet. Rendez-vous au **188**.

208

La morsure de l'Homme-Araignée inocule un venin mortel. Et, lorsqu'il plante ses crocs dans votre chair, vous sentez aussitôt le poison envahir votre corps et paralyser vos nerfs. Vous vous écroulez par terre, et il revient à la charge. Le dernier souvenir que vous emporterez dans l'autre monde sera la vision de cette petite bête hideuse qui s'approche de votre gorge pour vous donner le coup de grâce. Vous avez échoué dans votre mission.

209

Vous contemplez l'étrange architecture du monument. Ce n'est pas une fontaine, mais une sorte de temple. Il y a une porte sur le côté. Si vous voulez l'ouvrir, rendez-vous au **362**. Mais si vous préférez poursuivre votre chemin en direction de la Tour, rendez-vous alors au **156**.

210

Vous vous trouvez à présent dans une grande salle circulaire, éclairée par une unique torche fixée au mur. Pas de meubles, sauf une simple table en bois et une chaise au milieu de la pièce. Un tout petit homme, vêtu d'une chemise verte et de culottes bouffantes, est en état de lévitation au-dessus de la table et dort à poings fermés. Il

210 *Un tout petit homme, vêtu d'une chemise
verte et de culottes bouffantes, est en état
de lévitation au-dessus de la table et dort
à poings fermés.*

n'a certainement pas plus d'un mètre de haut. Vous avez du mal à croire qu'il dort encore après votre bruyante entrée ! Soudain vous entendez un craquement et vous regardez vers la droite, juste à temps pour voir une petite catapulte vous expédier un projectile qui vous atteindra à coup sûr si vous n'utilisez pas une Formule de Protection. Si vous souhaitez utiliser cette Formule, rendez-vous au **192**. Si vous ne le pouvez pas (ou ne le voulez pas), rendez-vous au **359**.

211

Vous lui offrez les cailloux que vous avez changés en pépites d'or. « J'ai tout ce que je veux ici, réplique-t-il. J'ai de quoi manger, j'ai un travail, et si je m'ennuie, on me donne le droit de torturer les prisonniers pour m'amuser. Alors, que ferais-je de cet or ? » Il vaut mieux essayer une autre Formule ! Vous pouvez choisir entre la Télépathie (rendez-vous au **123**) ou l'Illusion (rendez-vous au **35**). Si vous n'avez ni l'une ni l'autre, rendez-vous au **283**.

212

Vous avez tourné à gauche et vous marchez le long d'un chemin qui rejoint un autre passage menant vers le nord. Vous suivez ce passage qui s'élargit bientôt. Rendez-vous au **90**.

213

Vous sortez votre épée. Il était temps : le Nain est presque sur vous. Affrontez-les chacun à son tour :

	HABILETÉ	ENDURANCE
NAIN	5	6
GOBELIN	6	4
ORQUE	5	7

Si vous gagnez, rendez-vous au **235**. Vous pouvez prendre la *Fuite* au cours du combat en filant vers le monument, au milieu de la cour. Rendez-vous alors au **209**.

214

Vous débouchez le flacon et vous aspergez la créature avec le liquide vert. Elle pousse alors des cris et des grognements en se tenant la gorge. Le liquide semble la brûler en produisant des volutes de fumée. Quelques instants plus tard, la Gargouille tombe morte sur le sol. Rendez-vous au **62**.

215

Il va falloir inventer un mensonge pour tromper ces trois sorcières. Allez-vous prétendre que le Capitaine de la Garde a ordonné une inspection de leur cuisine à la suite de deux cas d'empoisonnement (rendez-vous au **136**), ou préférez-vous leur dire que vous vous êtes égaré, et que vous cherchez votre chemin (rendez-vous au **41**) ?

216

Comment allez-vous l'aborder ? Vous pouvez dire au Gark que vous êtes un invité (rendez-vous alors au **294**), ou essayer de le soudoyer en lui offrant 3 Pièces d'Or, et de *vraies* Pièces (rendez-vous dans ce cas au **391**). Vous avez également la possibilité d'utiliser une Formule d'Or du Sot pour fabriquer un peu d'or à lui offrir (rendez-vous au **36**).

217

Vous tournez doucement la poignée pour essayer d'entrer sans vous faire voir. La porte s'ouvre lentement et vous pénétrez dans une pièce obscure éclairée par une simple chandelle à la flamme vacillante. Votre sang alors se glace : un TRIDENT menaçant est en effet pointé sur votre gorge. En un éclair, vous devez prendre une décision. Qu'allez-vous faire ?

Utiliser une Formule de
Protection ?   Rendez-vous au **293**

Essayer d'esquiver
l'arme ?   Rendez-vous au **57**

218

En face de vous, se trouve une grande porte, solidement verrouillée. Vous pouvez soit frapper trois coups pour appeler le garde (rendez-vous au **118**), soit utiliser une Formule de Force pour essayer de l'enfoncer (rendez-vous au **94**).

219

Vous vous baissez en vous protégeant la tête. Une bouteille vient alors vous frapper, puis une autre, et une autre encore. Vous ne sentez rien cependant ! Par quel miracle ? L'explication vous vient soudain à l'esprit. Le vin devait contenir une substance hallucinogène, et vous êtes tout simplement en train d'imaginer cette attaque de bouteilles. Un instant plus tard, le bruit cesse. Vous levez les yeux et, comme vous vous y attendiez, toutes les bouteilles sont bien rangées dans leurs casiers. Soulagé, vous quittez aussitôt la Cave pour reprendre votre chemin. Rendez-vous au **95**.

220

Les couteaux heurtent votre bouclier invisible et tombent par terre. Les Roulards, eux aussi, se cognent contre la barrière protectrice et sont projetés en arrière, sans comprendre ce qui leur arrive. Ils se concertent alors en se tenant à distance tandis que les effets de votre Formule Magique commencent à faiblir. On dirait qu'ils ont mis un plan au point. L'un remonte le couloir en roulant, probablement pour aller chercher de l'aide, tandis que les deux autres saisissent deux petites sarbacanes accrochées à leurs ceintures. Ils glissent ensuite des grains de plomb dans leur bouche et s'apprêtent à vous viser. Il faut les devancer et sauter sur eux, avec votre épée. Vous les affrontez séparément.

	HABILETÉ	ENDURANCE
Premier ROULARD	7	6
Deuxième ROULARD	6	5

Si vous gagnez, vous pouvez soit prendre le couloir de gauche (rendez-vous au **243**) soit celui de droite (rendez-vous au **2**).

221
Tandis que vous avancez, elle fait un geste des deux mains et baisse la tête en marmonnant. Rendez-vous au **127**.

222
Tandis que vous rampez le long de la muraille, vous entendez un faible gémissement, à quelques mètres de vous. En vous rapprochant, vous apercevez un homme étendu sur le sol ; de toute évidence, il a mal et appelle à l'aide. Allez-vous vous approcher de lui pour essayer de lui porter secours (rendez-vous au **137**), ou bien déciderez-vous de l'ignorer et de poursuivre votre chemin (rendez-vous au **14**) ?

223
Elle grimace en contemplant la répugnante petite chose et remonte les draps pour se protéger. Rendez-vous au **138**.

130

222 *Vous entendez un faible gémissement, à quelques mètres de vous. Vous apercevez un homme étendu sur le sol. De toute évidence, il a mal et appelle à l'aide.*

224

Vous rejetez la tête en arrière. Vous avez évité de justesse les mâchoires du Poisson-Mordeur. Mais votre tête a cogné l'anse du chaudron, et vous perdez deux points d'ENDURANCE. Vous chancelez sous le coup, et, tandis que vous essayez de rassembler vos esprits, les trois vieilles vous poussent vers la porte de la cuisine. « Bon débarras ! » hurlent-elles. Rendez-vous au **265**.

225

Il est tout à fait d'accord : il s'agit bien d'un objet de grande valeur. Mais le petit homme déclare qu'il ne dispose pas de l'argent nécessaire et s'en va, sa silhouette disparaissant bientôt dans l'obscurité. L'homme à la haute taille vous offre alors la dague au prix de 9 Pièces d'Or. En utilisant une Formule d'Or du Sot, vous aurez de quoi acheter la dague (rayez la formule de votre *Feuille d'Aventure,* et rendez-vous au **15**). Mais vous pouvez également vous excuser et poursuivre votre chemin (rendez-vous alors au **245**).

226

Vous avez la possibilité de prendre dans votre sac à dos l'un des objets suivants (à condition, bien sûr, que vous l'ayez en votre possession) :

Un Miroir en Argent	Rendez-vous au **312**
Une Toison d'Or	Rendez-vous au **37**
Une Myriade	Rendez-vous au **384**

Si vous ne disposez d'aucun de ces objets, rendez-vous au **184**.

Votre comportement provoque la colère des joueurs. Le ton monte, et ils commencent à élever la voix puis, soudain, ils vous attaquent. Vous vous défendez, mais l'un d'eux vous frappe la tête avec la poignée de son épée et vous perdez connaissance. Rendez-vous au **234**.

228

La porte en chêne est très solide et il est peu probable que vous parveniez à l'enfoncer ; mais vous pouvez toujours essayer. Vous pouvez également utiliser une Formule de Force. D'autre part, la serrure est en cuivre et si vous possédez une Clef de Cuivre, vous avez la possibilité de vous en servir. Qu'allez-vous faire ?

Essayer d'enfoncer la porte ?	Rendez-vous au **88**
Utiliser une Formule de Force ?	Rendez-vous au **170**
Vous servir d'une Clef de Cuivre ?	Rendez-vous au **296**

229

Vous claquez la porte derrière vous et vous suivez un couloir étroit et tortueux qui vous amène au pied d'un autre escalier conduisant au sommet de la Tour. Sur le mur, un écriteau porte cet avertissement : « HALTE ! Interdiction de passer sans la permission de Balthus le Terrible. » De toute évidence, vous approchez du but ! Vous grimpez alors les marches avec précaution jusqu'à un palier qui donne accès au donjon de la Citadelle. En face de vous se trouve une solide porte en métal. Vous tournez la poignée, mais la porte est fermée à clef. Vous soulevez alors le petit rabat qui masque le trou de la serrure, et vous découvrez qu'il s'agit d'une serrure à combinaison qui ne fonctionnera que si vous en connaissez le chiffre. Le connaissez vous ? Si oui, rendez-vous au paragraphe portant le même numéro. Sinon, essayez d'enfoncer la porte (rendez-vous au **50**), ou utilisez une Formule de Force (rendez-vous au **164**).

230

« Vous êtes venu gagner de l'argent, n'est-ce pas ? lance le Singe-Chien. Eh bien ! partagez donc avec nous un peu de vos bénéfices ! ». Comme vous n'avez rien à leur offrir, vous pouvez sortir une pierre de votre sac et utiliser la Formule d'Or du Sot pour leur donner une pépite d'or (rendez-vous alors au **96**). Sinon, préparez-vous à vous battre (rendez-vous au **288**). N'oubliez pas de rayer de votre *Feuille d'Aventure* la Formule d'Or du Sot si vous l'utilisez.

231

Vous donnez un coup d'épaule contre la porte. *Tentez votre Chance*. Si vous êtes Chanceux, la porte s'ouvre (rendez-vous au **196**). Si vous êtes Malchanceux, vous vous faites mal à l'épaule et vous perdez 1 point d'ENDURANCE. Dans ce cas, vous devrez à nouveau *Tenter votre Chance* jusqu'à ce que vous soyez Chanceux. Chaque échec vous coûtera 1 point d'ENDURANCE. Lorsque vous aurez réussi à enfoncer la porte, rendez-vous au **196**. Mais si votre épaule vous fait trop souffrir, retournez au carrefour d'où vous venez, et prenez l'autre direction (rendez-vous au **243**).

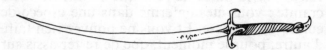

232

Vous reculez, horrifié devant la hideuse créature qui s'avance vers vous. Certaines légendes que l'on vous a racontées dans votre enfance vous reviennent en mémoire, et vous vous rendez compte alors que vous êtes en face d'une Gorgone, dont le regard a le pouvoir de vous changer en statue de pierre. *Tentez votre Chance*. Si vous êtes Chanceux, rendez-vous au **111**. Sinon, rendez-vous au **72**.

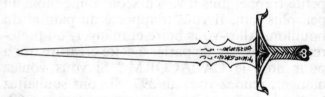

233

Vous évitez le Trident, mais l'une de ses pointes se plante malgré tout dans votre épaule. Heureusement, ce n'est pas du côté du bras qui vous sert à manier l'épée. Vous empoignez la pointe du Trident et vous l'extirpez de votre épaule en hurlant de douleur. Cette blessure vous fait perdre 5 points d'ENDURANCE. Rendez-vous au **374**.

234

Vous vous réveillez dans une pièce sale dont les murs grossiers sont à l'évidence taillés dans le roc. De solides barreaux de fer fixés à un soupirail et sur la porte ne font que confirmer votre crainte : vous êtes enfermé dans une espèce de cul-de-basse-fosse. Et vous ne pouvez rien faire d'autre, pour le moment, que de rester assis sur la paillasse posée dans un coin, en attendant que quelqu'un vienne s'occuper de vous. Une heure plus tard, vous entendez un bruit de pas traînant. Vous regardez à travers les barreaux de la porte : une sorte de lézard s'avance dans le corridor, portant un bol et une assiette. La créature a deux têtes qui parlent entre elles ; sa peau est recouverte d'écailles grises et sa longue queue traîne derrière elle dans le couloir. Le lézard bicéphale s'arrête devant la porte de votre cachot et passe le bol et l'assiette par une petite trappe, puis il va s'asseoir à une table un peu plus loin. Il vous a apporté du pain et du bouillon. Allez-vous boire et manger, ou préférez-vous essayer de parler à cette créature qui a pour nom le CALACORM ? Si vous voulez manger, rendez-vous au **397**. Si vous souhaitez vous adresser au Calacorm, rendez-vous au **69**.

235

Les échos de la bataille contre le Nain, le Gobelin et l'Orque pourraient bien avoir attiré d'autres créatures. Inquiet, vous scrutez les ténèbres, mais rien ne se passe. Vous fouillez alors les poches de vos adversaires vaincus et vous y trouvez 8 Pièces d'Or et une de cuivre, ainsi qu'un pot contenant une sorte d'onguent noir.

234 *Une sorte de lézard s'avance dans le corridor, portant un bol et une assiette. La créature a deux têtes qui parlent entre elles.*

Vous ne pouvez prendre que deux de ces trois trouvailles. En examinant le pot, vous découvrez une inscription sur le couvercle, en lettres runiques. Vous sautez alors de joie, car il s'agit d'une Potion Magique très rare. Le pot en contient deux doses dont chacune augmente d'un point votre total de MAGIE, ce qui vous donne le droit d'utiliser une Formule Magique supplémentaire. Vous pouvez emporter cette Potion et, quand vous en boirez une dose après avoir utilisé une Formule Magique, vous n'aurez pas besoin de rayer cette Formule de votre liste. Mais n'oubliez pas : il n'y a que deux doses dans le pot. A présent, vous pouvez poursuivre votre chemin soit vers la Citadelle (rendez-vous au **245**), soit en direction des deux hommes qui bavardent près de la torche (rendez-vous au **269**).

236

Ils prennent vos Baies avec enthousiasme, les portent à leur bouche et commencent à les mâcher. Quelques secondes plus tard, ils s'endorment l'un après l'autre. Vous en profitez pour fouiller dans le coffre où vous ne découvrez que quelques poupées semblables à celles qui se trouvent sur le sol, ainsi que des jouets en bois. Ces objets n'ont aucune valeur, et vous quittez la pièce par la porte du fond (rendez-vous au **140**).

237

Vous ouvrez la porte et vous avancez dans un couloir orienté vers l'est, qui aboutit quelques mètres plus loin au pied d'un escalier. Vous en montez les marches et vous vous retrouvez dans un autre couloir étroit. A quelque distance, une ouverture vous laisse apercevoir une grande pièce bien éclairée. Vous vous y dirigez. Rendez-vous au **169**.

238

Il vous indique une section dans les rayons de la bibliothèque et vous prenez un livre. Vous vous installez à une table pour le lire. L'ouvrage est fort intéressant : il retrace en effet toute l'histoire de la Citadelle. La Tour Noire fut construite par le grand-père de Balthus le Terrible, et devint peu à peu un sanctuaire abritant les forces du mal. L'ordre qui y régnait d'abord, dégénéra bientôt en chaos lorsque les monstrueuses créatures commencèrent à se disputer le pouvoir. Finalement, le grand-père de Balthus dût se protéger lui-même de ses sujets, et inventa des pièges contre ses propres monstres. Les plus célèbres sont la Trappe de la Fosse Maudite et la Serrure à Combinaison Magique qui interdit l'accès à l'appartement du Maître. Le code de la combinaison est le 217. Vous lisez ensuite un chapitre consacré aux différents passages secrets de la Citadelle. A présent, vous pouvez demander au bibliothécaire des ouvrages traitant de Balthus le Terrible (rendez-vous au **18**), ou ceux qui décrivent les créatures du Pic de la Roche (rendez-vous au **375**). Vous pouvez également quitter la

bibliothèque par la porte du fond (rendez-vous
au **31**).

239

Il vous vient une idée. Avec la corde, vous fabri-
quez un lasso que vous faites tournoyer pour
essayer d'attraper le coffre. Après plusieurs
essais, la boucle du lasso s'enroule enfin autour
du meuble et il ne vous reste plus qu'à tirer sur
la corde pour le ramener vers vous. Bientôt, le
coffre tombe dans le fossé, mais il est si lourd
que son poids vous entraîne dans sa chute. Si
vous avez une Formule de Lévitation, utilisez-
la. Et rendez-vous au **379**. Sinon, rendez-vous
au **82**.

240

Vous avez une boule de feu dans la main, et
vous la projetez sur le vêtement qui est en train
de vous étrangler. L'étoffe s'enflamme aussitôt,
et un cri étouffé s'échappe de la bouche du
spectre. Les autres Fantômes reculent. Vous
jetez alors deux boules de feu sur deux autres
Fantômes ; mais malheureusement ils étaient
trop près de vous, et vous êtes vous-même brûlé.
Ce qui vous coûte 2 points d'ENDURANCE. Vous
avancez ensuite avec précaution en tenant les
Fantômes à distance, jusqu'à ce que vous ayez
dépassé l'endroit où se trouve la femme. Maintenant, vous êtes à l'abri. Rendez-vous au **6**.

241

Vous avez porté une blessure grave à la
créature, mais votre épée s'est emmêlée dans ses
longs cheveux. Et tandis que vous essayez de la
récupérer, le monstre vous l'arrache des mains

et l'expédie à l'autre bout de la pièce. Vous êtes sans défense désormais. Vous pouvez soit continuer le combat à mains nues, soit utiliser une Formule de Force. Si vous vous battez à mains nues avec votre force normale, déduisez 3 points de votre total d'HABILETÉ tant que durera le combat. Si vous utilisez une Formule de Force, vous mènerez le combat normalement, sans que votre total d'HABILETÉ change. Si vous gagnez, vous avez le droit de récupérer votre épée. Rendez-vous au **77**.

242

Les bouteilles et les barriques contiennent des centaines de vins différents. Certains sont très vieux et de très grande qualité. Dans un coin de la pièce, se trouve une table sur laquelle sont posés deux bouteilles et des verres qui servent à goûter les différents crus. Allez-vous essayer le vin rouge ? Rendez-vous au **24**. Allez-vous plutôt goûter le vin blanc ? Rendez-vous alors au **105**. Vous décidez de ne goûter aucun de ces deux vins et de poursuivre votre chemin ? Rendez-vous dans ce cas au **95**. Si vous préférez partir, vous pouvez emporter une bouteille de vin pour le voyage.

243

Au bout de quelques mètres, le passage aboutit à une porte. Vous y collez votre oreille et vous entendez une respiration bruyante et profonde comme si quelque créature de grande taille s'était endormie là. Vous tournez lentement la poignée et, dans la pièce sombre, vous apercevez une sorte d'énorme Gobelin dormant sur le sol.

Vous risquerez-vous à entrer dans la pièce sur la pointe des pieds (rendez-vous au **352**), ou bien préférez-vous revenir à la bifurcation et prendre le couloir de droite (rendez-vous au **2**) ?

244

Vous vous concentrez pour prononcer la Formule d'Illusion et les Roulards s'immobilisent, s'inquiétant visiblement du tour que vous leur préparez. Puis, soudain, vous disparaissez ! Ils recommencent alors à jacasser et semblent tout excités. Où donc êtes-vous passé ? Profitant de votre invisibilité, vous pouvez poursuivre votre chemin par le passage de droite (rendez-vous au **2**), ou par le passage de gauche (rendez-vous au **243**) en laissant les Roulards vous chercher en vain.

245

Vous marchez en direction de la Tour Noire. L'air de la nuit est calme, mais un petit vent se lève dans un murmure qui s'amplifie bientôt, et, soudain, une rafale vient vous frapper avec une telle violence que vous ne pouvez pratiquement plus avancer. Vous fermez alors les yeux jusqu'à ce que le vent s'apaise et, lorsque vous les rouvrez, vous apercevez le visage fantomatique d'une femme dont le corps est un Tourbillon de vent. Elle vous adresse quelques mots qui vous parviennent quelques secondes après qu'elle a fini de parler. De toute évidence, elle vous trouve l'air agressif et vous défie en vous lançant des injures. Vous sortez aussitôt votre épée, mais elle éclate de rire. Allez-vous l'ignorer et poursuivre votre chemin (rendez-vous au **161**),

245 *Vous apercevez le visage fantomatique d'une femme dont le corps est un Tour-billon de vent.*

lui parler (rendez-vous au **390**), ou essayer de vous en débarrasser à l'aide d'une Formule Magique (rendez-vous au **47**) ?

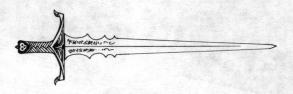

246

Vous devenez invisible, ce qui ne vous empêche pas de continuer à voir le Calacorm. Vous constatez cependant, à votre grand déplaisir, que la créature ne s'est pas aperçue de votre disparition ! Vous attendez patiemment, mais en vain, et vous commencez à vous inquiéter, car, bientôt, vous redeviendrez visible. Vous frappez alors le sol du pied pour faire voler la poussière. La bête, aussitôt, lève les yeux et se précipite vers la porte du cachot. Mais, entre-temps, vous êtes redevenu visible. « Tu voulais me jouer un tour, c'est cela ? » lance le Calacorm qui pénètre dans le cachot et vous empoigne par le bras. Il va falloir combattre.

CALACORM   HABILETÉ : 9   ENDURANCE : 8

Vous pouvez utiliser une Formule de Faiblesse. Dans ce cas, le Calacorm n'aura plus que 5 points d'HABILETÉ. Si vous êtes vainqueur, vous quittez le cachot et vous suivez un couloir orienté au nord (rendez-vous au **174**).

247

Votre demande les indigne, et vous vous maudissez d'avoir révélé le but de votre mission. Ils échangent alors quelques propos animés, puis, se tournant vers vous, ils se mettent tous ensemble à souffler très fort. A votre grand étonnement, leur souffle a la force d'une tempête, et vous êtes projeté contre la muraille. Votre tête heurte la pierre et vous perdez connaissance. (Rendez-vous au **234**).

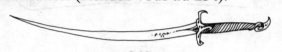

248

Un grand silence envahit la pièce. Soudain, un cri vous glace le sang ! Un visage repoussant surgit alors et se jette sur vous avec un hurlement. Vos cheveux se dressent sur votre tête et vos genoux s'entrechoquent. Vous parvenez cependant à atteindre la porte, à l'ouvrir, et à la franchir d'un bond. Mais vous avez oublié que vous vous trouviez au sommet de la Tour. Or, le balcon n'a pas de garde-fou, et vous vous élancez dans le vide en tombant tête la première. Si vous avez une Formule de Lévitation, rendez-vous au **103**. Sinon, vous vous écrasez en un misérable petit tas au pied de la tour, et votre corps désarticulé succombe dans un dernier soupir.

249

Le passage aboutit à une porte de bois. Sur un écriteau est inscrit le mot « GARDE-MANGER ». Vous collez votre oreille contre le panneau, mais vous n'entendez rien. La porte est

145

verrouillée. Si vous possédez une Clé de Cuivre, utilisez-la (rendez-vous au **392**). Sinon, essayez d'enfoncer la porte (rendez-vous au **231**), ou bien retournez au croisement et suivez l'autre couloir (rendez-vous au **55**).

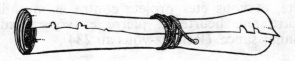

250

Vous vous concentrez, et soudain un ouragan s'élève et dévaste la pièce. Les chaises, les livres et toutes sortes d'objets se mettent à voltiger, emportés dans un tourbillon. Vous seul n'êtes pas dupe de l'Illusion. Vous faites alors un pas en avant, mais vous vous arrêtez brusquement en entendant un rire sonore. Dans la pièce, le Tapis Volant et la Tête de Chien se sont changés en statues de pierres, et l'une de ces statues se moque de vous : « Salut, l'aventurier, dit-elle, nous sommes les MIKS, les *Maîtres* de l'Illusion, et vos tours grossiers ne pourront jamais nous tromper ! » La créature qui s'est à présent transformée en serpent, rampe sur le tapis, s'enroule autour de votre jambe, et plante soudain ses crochets dans votre postérieur. La douleur est insupportable, et vous vous écroulez sur le sol. Ce serpent était venimeux. Aussi, un conseil : prenez garde aux Miks lors de votre prochaine aventure, car dans l'immédiat, celle-ci est terminée.

251

Vous avancez dans la cour entourée de hautes murailles. Plusieurs torches allumées diffusent leur clarté dans l'obscurité, et l'on voit des silhouettes se promener d'un pas traînant. Au milieu de la cour se dresse un grand monument, une fontaine peut-être. A l'autre bout vous apercevez l'entrée de la tour. Allez-vous :

Vous faufiler jusqu'à la Tour ? Rendez-vous au **222**

Traverser hardiment la cour ? Rendez-vous au **179**

Marcher sur la pointe des pieds, en direction d'un groupe de créatures ? Rendez-vous au **321**

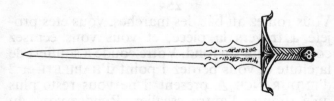

252

Vous avez attrapé cinq ou six têtes. Le monstre se débat pour se dégager du nœud et la Myriade soudain vous échappe des mains. La créature cependant est suffisamment occupée à se débattre pour que vous puissiez bondir vers la porte du fond. Rendez-vous au **229**.

253

Le fromage est bien sûr trop fait. Mais lorsque vous y goûtez, il vous semble fort agréable, et même tout à fait délicieux. Vous en mangez alors un bon morceau, et vous gagnez 1 point d'HABILETÉ, 3 points d'ENDURANCE, et 1 point de CHANCE, puis vous repartez. Si vous voulez essayer d'ouvrir la porte située dans le mur de gauche, rendez-vous au **13**. Si vous choisissez la porte opposée à celle que vous venez de franchir, rendez-vous au **281**.

254

Vous roulez au bas des marches, vous êtes projeté à travers la pièce, et vous vous écrasez contre le mur du fond. Votre coude a souffert de la chute et vous perdez 1 point d'HABILETÉ et 2 d'ENDURANCE. A présent il ne vous reste plus qu'à monter l'autre escalier. Rendez-vous au **197**.

255

La créature vous regarde et ses yeux se rétrécissent. Sa main tient une longue lance qu'elle pointe sur vous. « Ce n'est pas le mot de passe ! » s'exclame-t-elle, prête au combat. *Tentez votre Chance*. Si vous êtes Chanceux, il va falloir trouver très vite une ruse (rendez-vous au **198**). Si vous êtes Malchanceux, vous bredouillez quelques mots, et la créature s'avance pour vous combattre (rendez-vous au **290**).

256

Le Sorcier sourit. « Alors, tu veux faire partie de mes sujets ! dit-il en riant. Pour cela il faut d'abord que je sois sûr de ta loyauté. » Il pose sa main sur votre front, ferme les yeux, et se concentre. Vous sentez votre volonté faiblir et vous n'avez plus très envie de lutter. Au bout d'un moment, Balthus retire sa main. Vous êtes debout face à lui, et vous avez le choix : allez-vous vous incliner devant lui et faire acte de soumission (rendez-vous au **65**), ou préférez-vous tirer votre épée et le combattre (rendez-vous au **155**) ?

257

Vous jetez un coup d'œil autour de la pièce : éclairée par une simple torche, elle est spacieuse et dépourvue de meubles. Un gros rocher plat fait office de table et un petit rocher sert de tabouret. Dans un coin d'autres rochers s'entassent, collés les uns aux autres par de la boue. Vous ne savez pas à quoi ils servent : vous voyez simplement trois coffrets de bois posés dessus. Et soudain, vous sursautez, pris de peur, car votre torche vient d'éclairer, près de la porte, une immense créature qui semble elle-même taillée dans un roc. Elle a vaguement l'apparence d'un être humain et vous fixe droit dans les yeux, mais vous n'êtes pas sûr qu'elle vous *voit* vraiment ! Qu'allez-vous faire ?

Courir vers l'autre porte ?	Rendez-vous au **237**
Essayer de parler à la créature ?	Rendez-vous au **357**
Vous approcher lentement des coffrets ?	Rendez-vous au **200**

258

Vos cadeaux ne les intéressent pas le moins du monde et ils reportent toute leur attention sur vous. Vous essayez alors de les impressionner avec une Formule d'Illusion : un arc-en-ciel apparaît aussitôt au milieu de la pièce, et tandis qu'ils le contemplent d'un regard fasciné, vous allez jusqu'à la porte du fond. Rendez-vous au **140**. Si vous n'avez pas de Formule d'Illusion, vous devrez utiliser l'une de vos autres Formules et la rayer de votre *Feuille d'Aventure* avant de vous rendre également au **140**. Si vous ne disposez d'aucune Formule Magique, approchez-vous d'eux et rendez-vous au **366**.

259

Médusée, elle vous regarde flotter en l'air et tourne sur elle-même comme une toupie en essayant de vous aspirer dans son tourbillon ; vous êtes cependant hors de portée et vous lui

257 *Votre torche vient d'éclairer près de la porte une immense créature qui semble elle-même taillée dans un roc.*

souriez d'un air narquois en lui faisant de la main un geste d'adieu. Vous volez ensuite en direction de la Tour Noire, et vous atterrissez devant la porte principale. Rendez-vous au **218**.

260

Après quelques instants d'efforts, le coffret s'ouvre enfin. À l'intérieur se trouve une clé d'argent. Qu'allez-vous faire ?

Utiliser la clef pour ouvrir le deuxième coffret ?	Rendez-vous au **34**
Utiliser la clef pour ouvrir le troisième coffret ?	Rendez-vous au **299**
Prendre la clef et chercher la porte de sortie ?	Rendez-vous au **237**

261

Le Singe-Chien demande à voir les plantes que vous êtes censé transporter avec vous. Par chance, vous avez arraché quelques touffes d'herbe en chemin, et vous les lui montrez. Penchant la tête de côté, la créature vous examine avec méfiance et vous demande le nom du garde que vous êtes venu guérir. Vous êtes pris au dépourvu et il vous faut vite penser à un nom pour tromper la sentinelle. Vous avez le choix entre :

Kylltrog.	Rendez-vous au **81**
Pincus.	Rendez-vous au **175**
Blag.	Rendez-vous au **394**

262

Vous prononcez la Formule de Copie Conforme, et un Gark parfaitement identique, armé de la même façon, surgit aussitôt devant vous. Le combat s'engage entre les deux créatures.

GARK   HABILETÉ : 7   ENDURANCE : 11

Si le double que vous avez créé est vaincu, vous devrez finir le combat tout seul, avec votre épée. Si votre Gark ou vous-même remportez la victoire, rendez-vous au **180**.

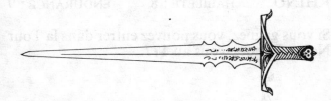

263

Les Calacorms sont des créatures qui se satisfont de peu, et en qui on peut avoir une grande confiance. Ils ont l'apparence de grands reptiles à la peau grise et à la longue queue, et sont dotés de deux têtes qui se parlent sans cesse. Travailler, manger (ils se nourrissent de serpents morts) et disposer d'un logis confortable : telles sont les seules ambitions des Calacorms. Ils ont toutefois, dans leur vie, un autre petit plaisir que ne laisserait guère prévoir leur nature paisible : ils adorent entendre hurler de douleur les prisonniers qu'on torture. Il faut également ajouter qu'ils sont terrifiés par les souris, en dépit de leur grande taille. Rendez-vous au **326**.

264

Vos muscles puissants se tendent et vous agrippez fermement votre épée. Debout, face à l'HOMME-RHINO, vous êtes prêt au combat. Étant donné votre force exceptionnelle, vous aurez le droit de lancer un dé supplémentaire pour mesurer votre *Force d'Attaque* (ce qui signifie que votre *Force d'Attaque* sera égale à votre total d'HABILETÉ auquel viendront s'ajouter les points donnés par trois dés au lieu de deux habituellement).

HOMME-RHINO   HABILETÉ : 8   ENDURANCE : 9

Si vous gagnez, vous pouvez entrer dans la Tour Noire. Rendez-vous au **177**.

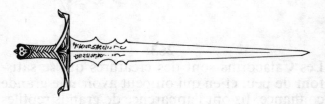

265

Vous vous trouvez dans un couloir étroit qui aboutit à une porte. Vous en tournez la poignée et la porte s'ouvre sur une grande salle. Rendez-vous au **169**.

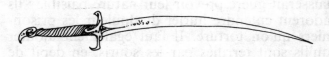

266

Toutes vos histoires le laissent indifférent et il doute fort que vous ayez l'autorisation d'être ici. Alors, sans le moindre signe d'avertissement, il se change soudain en serpent et rampe dans votre direction en sifflant avec colère. Pendant ce temps, la Tête de Chien s'est détachée du mur et vole vers vous. Allez-vous utiliser une Formule Magique (rendez-vous au **310**), ou allez-vous chercher dans votre sac à dos un objet qui pourrait vous aider (rendez-vous au **54**) ?

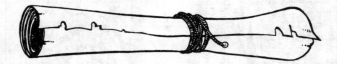

267

Dès que vous avez saisi le calice, le liquide devient vert, puis il prend une teinte sombre et sale en dégageant une odeur fétide. Vous en goûtez cependant une gorgée que vous recrachez aussitôt avec une grimace : vous avez bu de l'eau boueuse ! Vous quittez alors la pièce et vous vous dirigez vers la Tour Noire. Rendez-vous au **156**. Vous perdez 1 point de CHANCE.

268

Vous essayez de défoncer la porte, le bois craque mais ne cède pas. Vous essayez encore, et cette fois le bois se fend par le milieu. Vous pouvez alors vous glisser par l'ouverture et entrer dans la pièce. Rendez-vous au **210**.

269 *Les deux hommes sont sales et hirsutes.*
Vous les entendez se disputer à haute
voix au sujet du prix d'une dague.

269

Les deux hommes sont sales et hirsutes. En vous approchant d'eux, vous les entendez se disputer à haute voix au sujet du prix d'une dague. De toute évidence, le plus grand des deux hommes veut vendre la dague à l'autre. Il affirme qu'elle est enchantée et qu'elle vaut beaucoup plus que la somme proposée par le petit. Le grand vous attrape par le bras et vous prend à témoin. A quel prix allez-vous estimer l'objet ?

5 Pièces d'Or ?	Rendez-vous au **205**
8 Pièces d'Or ?	Rendez-vous au **186**
10 Pièces d'Or ?	Rendez-vous au **225**

270

Vous devez ouvrir soit la porte de gauche soit celle de droite. Si vous choisissez la porte de gauche, rendez-vous au **185**. Si vous choisissez celle de droite, rendez-vous au **23**.

271

Vous saisissez sa main et vous vous présentez. Vous poussez alors un cri car votre bras est soudain tout engourdi ! O' Seamus éclate de rire. Vous perdez 1 point d'HABILETÉ : votre bras ankylosé est en effet celui qui vous sert à manier l'épée. La colère vous saisit aussitôt, mais le petit homme continue à vous serrer la main en riant. Un autre rire éclate brusquement derrière vous. Vous vous retournez pour voir le Farfadet qui flotte dans les airs en continuant de rire ! Et pourtant, il vous fait toujours face et vous serre toujours la main ! A présent, vous

comprenez que vous serrez la main d'un mannequin qui sautille au bout de votre bras. Vous
essayez de le jeter à terre, mais il est collé à votre
main ! La situation est grotesque et à présent
vous êtes vraiment furieux. « C'est pour rire ! »
raille le Farfadet en claquant des doigts. Le
mannequin alors disparaît. « Et maintenant,
que puis-je faire pour vous ? ». Allez-vous lui
demander votre chemin (rendez-vous au **348**),
ou tirer votre épée (rendez-vous au **131**) ?

272

Vous fouillez ses poches et vous y découvrez
8 Pièces d'Or. La Myriade, malheureusement, a
été abîmée au cours du combat, mais emportez-
la quand même, elle pourra vous être utile. A
présent, allez-vous explorer la Cave (rendez-
vous au **242**), ou vous diriger vers la porte du
fond (rendez-vous au **95**) ?

273

Quel est donc le mot de passe ?

Cimeterre ?   Rendez-vous au **371**

Ganjees ?   Rendez-vous au **255**

Kraken ?   Rendez-vous au **49**

274

L'armoire aux armes est fermée, mais on peut
facilement la forcer. A l'intérieur se trouvent
diverses lances et des épées. Allez-vous faire
sauter la serrure pour prendre une arme (rendez-vous au **353**), ou fouiller dans votre sac à
dos, en quête d'un objet qui puisse vous aider
(rendez-vous au **277**) ?

275

Vous reconnaissez l'objet : c'est une Myriade, un objet enchanté qui peut se changer en n'importe quelle arme ou n'importe quel outil. Vous vous préparez à présent pour le combat à l'épée.

ELFE NOIR   HABILETÉ : 8   ENDURANCE : 4

Vous pouvez également utiliser une Formule Magique. Si vous utilisez une Formule de Faiblesse, son total d'HABILETÉ ne sera plus que de 5. Si vous utilisez une Formule de Copie Conforme, un Elfe Noir identique, muni de la même Myriade, combattra l'Elfe véritable (menez alors le combat, et si le véritable Elfe Noir gagne, c'est vous-même qui devrez l'affronter à la place du double vaincu). Si vous gagnez, rendez-vous au **272**). Si vous préférez utiliser une Formule d'Illusion, rendez-vous au **399**.

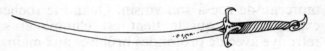

276

Vous tombez dans une fosse profonde. Il s'agit peut-être d'un puits que l'on a asséché. Vous vous relevez et, apparemment, vous êtes sain et sauf. Mais comment sortir ? Creuser des marches avec votre épée dans les parois du puits prendrait beaucoup trop de temps. Vous pourriez plutôt utiliser une Formule de Force (rendez-vous au **165**), ou appeler à l'aide (rendez-vous au **202**). Que choisissez-vous ?

Vous avez sans doute découvert plusieurs objets au cours de votre aventure. Avez-vous emporté l'un de ceux-ci ? Si oui, vous pouvez l'utiliser maintenant :

Le Bocal contenant
l'Homme-Araignée   Rendez-vous au **330**

Une Myriade   Rendez-vous au **315**

Des Baies   Rendez-vous au **76**

Si vous n'avez aucun de ces objets, rendez-vous au **119**.

278

Le Roc-Bombe est un jeu dangereux mais qui peut rapporter gros. Avant que la partie s'engage, le Maître des Jeux, un apprenti sorcier, jette un sort sur un morceau de roc ; il s'agit d'un sortilège qui fera exploser le caillou quelques instants plus tard. Les joueurs forment alors un cercle, et chacun à tour de rôle lance le morceau de roc à son voisin. Quand le rocher explose, celui qui le tient est éliminé et se retrouve avec de profondes brûlures aux mains. Le jeu continue ainsi jusqu'à ce qu'il ne reste plus qu'un seul joueur. Les spectateurs prennent des paris sur les joueurs, mais avant de parier ils doivent donner chacun 3 Pièces d'Or qui iront au gagnant. En jouant à ce jeu, vous pouvez peut-être gagner 36 Pièces d'Or, mais vous prendrez le risque de vous brûler les mains. Cependant, puisque vous avez déjà choisi, il est trop tard pour reculer ; et vous devez donc jouer au moins une fois. Si vous y prenez goût, vous pourrez jouer aussi longtemps qu'il vous plaira.

A chaque partie gagnée, vous empocherez 36 Pièces d'Or. A chaque partie perdue, vous déduirez 2 points de votre total d'HABILETÉ, et 4 points de votre total d'ENDURANCE. Vous jouerez ainsi : jetez un dé pour savoir combien de joueurs se joindront à vous. Donnez une lettre à chaque joueur (A, B, C, etc. Vous êtes A), et inscrivez les lettres en cercle sur une feuille de papier. Ensuite, lancez un dé pour chaque joueur afin de savoir qui va commencer (ce sera celui qui aura obtenu le chiffre le plus élevé). Lancez deux dés pour le premier joueur. Le total devra être inférieur à douze. Passez au joueur suivant dans le sens des aiguilles d'une montre et jetez à nouveau les dés. Cette fois le total devra être inférieur à onze. Passez ensuite au troisième joueur qui devra obtenir un total inférieur à dix. Et ainsi de suite. Cochez avec votre crayon le joueur qui a le Roc-Bombe en main afin de ne pas vous embrouiller au cours de la partie. Dès que l'un des joueurs obtient un total supérieur au chiffre imposé (12, 11, 10, etc.) la pierre explose et il est éliminé. Il faut alors tout recommencer depuis le début avec les joueurs restant en lice, jusqu'à ce qu'il n'y ait plus qu'un seul joueur. Si vous êtes celui-là, les 36 Pièces d'Or sont à vous. Si l'un des participants obtient un total égal au chiffre imposé, cela signifiera que la pierre a explosé en l'air et il faudra recommencer un nouveau tour.

Lorsque vous serez lassé de ce jeu, vous pourrez aller jouer au Pique-Six (rendez-vous au **171**), ou à la Dague-Dingue (rendez-vous au **365**). Mais vous avez également le droit de quitter la salle de jeux (rendez-vous au **31**).

279

Vous vous élevez en l'air. La pièce continue à basculer autour de vous, mais vous flottez librement, et vous pouvez vous diriger où bon vous semble :

Vers l'armoire aux armes	Rendez-vous au **44**
Vers le Sorcier	Rendez-vous au **318**
Vers la fenêtre	Rendez-vous au **78**
Vers la table pour vous glisser dessous	Rendez-vous au **335**

280

Là créature vous attaque sauvagement et vous n'arrivez pas à vous défendre. Votre jambe ruisselle de sang et la douleur est atroce. Vous luttez en vain contre cette tête invisible et votre situation est desespérée. La créature se jette alors sur vous et avant de vous évanouir, vous sentez ses mâchoires se refermer sur votre gorge. Rendez-vous au **323**.

281

Vous ouvrez la porte et vous entrez dans une autre pièce. Les quatre petits êtres qui étaient assis sur le sol nu sursautent à votre arrivée, et se relèvent d'un bond. Qu'allez-vous faire ?

Tirer votre épée ?	Rendez-vous au **382**
Leur dire que vous ne faites que passer ?	Rendez-vous au **285**
Essayer de parler avec eux ?	Rendez-vous au **356**

281 *Les quatre petits êtres qui étaient assis
sur le sol nu sursautent à votre arrivée, et
se relèvent d'un bond.*

282

Vous lancez une petite boule de feu en direction du Boa d'Egout. La boule de feu lui brûle le corps et le coupe en deux. Mais les deux moitiés vous attaquent alors et vous enserrent le torse. Vous perdez 2 points d'ENDURANCE. Il vous faut changer de tactique, et vous faites jaillir de vos mains deux flammes que vous passez le long des deux moitiés du Serpent. La bête se tord de douleur et lâche prise. Vous lui saisissez la tête et vous l'étouffez dans les flammes. Rendez-vous au **112**.

283

Sans le secours de la magie, votre sort est désespéré et vous êtes condamné à passer le reste de vos jours dans les geôles de la Citadelle du Chaos. Vous avez échoué dans votre mission.

284

Vous prononcez la Formule de Lévitation (que vous rayez de votre liste), et vous vous élevez dans les airs. Le tentacule s'élève avec vous, et votre jambe vous fait atrocement souffrir. Vous décidez alors de redescendre pour essayer de vous libérer. Et maintenant, vous avez le choix entre le combat à l'épée (rendez-vous au **71**), ou l'utilisation d'une Formule de Feu (rendez-vous au **114**).

285

Vous leur assurez que vous ne leur voulez aucun mal, et que vous ne faites que passer. Ils poussent aussitôt un soupir de soulagement. La pièce est décorée avec sobriété à l'aide de quelques feuillages. Un petit feu brûle dans un coin sous un simple trou percé dans le plafond en guise de cheminée. « Vous pouvez continuer votre chemin par l'une des deux portes », vous déclarent les créatures. Allez-vous choisir la porte de gauche (rendez-vous au **185**), ou celle de droite (rendez-vous au **23**) ?

286

Les petites créatures poussent des cris perçants et se blottissent les unes contre les autres. Vous les tuez toutes d'un coup d'épée sans qu'elles opposent la moindre résistance, et ce combat décidément trop facile éveille votre méfiance. Vous vous dirigez alors vers la porte du fond. Rendez-vous au **140**.

287

Vous lui offrez le pot d'Onguent. Une force invisible vous l'arrache des mains et l'emporte auprès d'une des têtes d'animaux. Des doigts invisibles ouvrent le pot et la tête flaire l'onguent. Puis elle se tourne vers vous et grogne : « Eh bien, quoi ! C'est un simple baume d'alchimiste ! Que voulez-vous que nous en fassions ? ». Le pot tombe alors par terre et se brise. Qu'allez-vous faire à présent ?

Offrir une Myriade ?	Rendez-vous au **160**
Proposer des Pièces d'Or	Rendez-vous au **27**
Ou battre en retraite et tenter d'ouvrir l'autre porte ?	Rendez-vous au **25**

288

Les deux créatures s'avancent. Le Singe-Chien vous attaque d'abord, suivi du Chien-Singe. Allez-vous utiliser une Formule Magique ou combattre ? Vous pouvez utiliser :

Une Formule de Force   Rendez-vous au **162**

Une Formule de Lévita-
tion   Rendez-vous au **86**

Ou vous pouvez les combattre tour à tour :

	HABILETÉ	ENDURANCE
SINGE-CHIEN	7	4
CHIEN-SINGE	6	6

Si vous les tuez tous deux, rendez-vous au **32**.

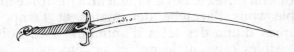

289

Qu'allez-vous choisir dans votre sac à dos ?

Un Miroir en Argent ?   Rendez-vous au **340**

Une Bouteille d'Essence
de Berce ?   Rendez-vous au **214**

Un pot d'Onguent ?   Rendez-vous au **305**

Si vous ne possédez aucun de ces objets, retournez au **304** et faites un nouveau choix.

290

L'HOMME-RHINO s'avance et tente de vous donner un coup de lance, mais vous faites un bond de côté pour l'éviter. Le monstre ne porte pas d'armure, mais sa peau est suffisamment épaisse pour le protéger. Choisirez-vous le combat ou la magie ? Si vous tirez votre épée, rendez-vous au **325**. Sinon, utilisez une de ces Formules Magiques :

Faiblesse	Rendez-vous au **307**
Lévitation	Rendez-vous au **70**
Force	Rendez-vous au **264**

291

« Que se passe-t-il ? » demande une voix caverneuse. Vous concluez un marché avec eux : s'ils vous laissent traverser la pièce, vous leur donnerez l'Onguent. Une main fantomatique, surgie de nulle part, essaie alors de vous l'arracher, mais vous ramenez à temps le pot vers vous. « C'est l'Onguent de Guérison », dit doucement l'une des voix. « Nous acceptons votre offre, assure une autre voix. Posez le pot et partez par la porte du fond. » A l'autre extrémité de la pièce, une porte se met alors à luire ; mais comme vous n'avez nulle confiance en ces créatures, vous emportez l'Onguent avec vous en vous dirigeant vers cette faible lumière. Lorsque enfin vous ouvrez la porte, vous jetez le pot derrière vous, à l'intérieur de la pièce, et vous filez à toutes jambes. Rendez-vous au **328**.

La pièce est une chambre à coucher luxueuse, richement décorée de fine dentelle. Un tapis de fourrure couvre le sol et au milieu de la pièce se dresse un grand lit à baldaquin. Une femme est assise dans le lit. Apparemment elle a été réveillée par le bruit. Vous êtes impressionné par sa beauté, vous admirez sa silhouette de sylphe aux longs cheveux noirs et ses yeux au regard perçant. « De quel droit êtes vous entré ? » s'indigne-t-elle. Au même instant ses yeux deviennent rouge sang, et il en jaillit deux jets de flammes. Qu'allez-vous faire ?

Utiliser une Formule de
Protection ?   Rendez-vous au **376**

Quitter vite la chambre et
ouvrir la porte suivante ?   Rendez-vous au **64**

Lui dire que vous venez
lui offrir un cadeau ?   Rendez-vous au **42**

293

En un clin d'œil, votre Formule Magique arrête le Trident en plein vol. Il était terriblement proche de votre cou ! Le Trident tombe. Rendez-vous au **374**.

292 *Une femme est assise dans un grand lit à baldaquin et vous êtes impressionné par sa beauté.*

294

Le Gark se redresse, pose sa hache, et vous présente ses excuses pour s'être endormi à son poste. Devant son insistance, vous promettez de ne rien dire. La créature vous propose alors de prendre votre tunique. Vous refusez son offre et poursuivez votre chemin. Rendez-vous au **99**.

295

Vous vous concentrez et vous vous changez en un Scorpion Géant. Le Nain et le Gobelin s'immobilisent, mais l'Orque fait comme si de rien n'était. Les deux autres vous voient piquer l'Orque avec votre dard, mais le monstre semble indifférent à vos coups et il appelle ses compagnons à la rescousse. Constatant que vous n'avez pas réussi à lui faire mal, le Nain et le Gobelin hochent la tête et tentent de distinguer votre véritable apparence, au delà de l'Illusion. L'Orque essaie alors de vous saisir. Rendez-vous au **213**.

296

La clef tourne dans la serrure et la porte s'ouvre. Rendez-vous au **292**.

297

Vous claquez la porte derrière vous et, dominant les sons de cloches, vous entendez des pas qui se rapprochent en courant. Il y a deux couloirs devant vous. Prendrez-vous celui de droite (rendez-vous au **2**), ou celui de gauche (rendez-vous au **316**) ? Vous pouvez également revenir vers la porte, et appeler le maître d'hôtel (rendez-vous au **75**).

298

Vos mains se referment sur le calice. Aussitôt, le liquide se met à pétiller et à mousser en vous aspergeant le visage tandis que vous portez la coupe à vos lèvres. Etes-vous vraiment sûr de vouloir y goûter ? Si vous y renoncez, rendez-vous au **58** où vous ferez un autre choix. Mais si vous êtes toujours décidé à boire, rendez-vous au **141**.

299

Malgré tous vos efforts, la clef ne tourne pas dans la serrure. Furieux, vous jetez par terre le coffret qui disparaît aussitôt ! Vous le cherchez alors à tâtons, mais sans succès. Vous êtes découragé, mais il faut continuer, et vous vous dirigez vers la porte. Rendez-vous au **237**.

300

Jetez un dé. Si le 1, le 2 ou le 3 sortent, le même nombre de couteaux vous frappe (chaque couteau vous enlève 2 points d'ENDURANCE). Si vous faites un 4, un 5 ou un 6, ils vous ratent. Préparez-vous à contre-attaquer, soit en utilisant une Forme d'Illusion (rendez-vous au **244**), soit en tirant votre épée (rendez-vous au **346**).

301

Vous vous sentez animé d'une force nouvelle et vous essayez de lutter avec la tête de la créature mais sa propre force semble également s'être accrue et égale la vôtre, à présent ! Votre jambe, ruisselante de sang, ne peut plus vous servir. Votre force commence alors à diminuer et les mâchoires de la bête se referment sur votre gorge. Vous sombrez dans l'inconscience. Rendez-vous au **323**.

302

Les trois vieilles femmes vous ordonnent de porter un plateau de nourriture dans le Grand Hall et de le poser sur une table ; les Ganjees viendront bientôt s'installer là pour dîner. Elles vous conseillent également de ne pas les attendre sinon, c'est vous qui leur servirez de repas ! Vous prenez le plateau et vous franchissez la porte, soulagé de pouvoir quitter cette répugnante cuisine. Vous suivez un couloir et vous posez le plateau par terre. Puis vous vous dirigez vers une autre porte que vous ouvrez. Rendez-vous au **169**.

303

Le Golem s'avance et vous le frappez de votre épée, mais c'est comme si votre arme avait rencontré un roc ! Il va falloir vous battre en déduisant 1 point de votre total d'HABILETÉ pendant toute la durée du combat.

GOLEM   HABILETÉ : 8   ENDURANCE : 10

Si vous gagnez, rendez-vous au **147**.

304

La porte s'ouvre et vous pénétrez dans une grande pièce, ornée de diverses sculptures. On dirait d'ailleurs l'atelier d'un sculpteur, car des statues de pierres inachevées s'alignent contre le mur. Au milieu de la pièce se dresse une énorme GARGOUILLE également en pierre, posée sur

304 *Dès votre arrivée, la tête de la Gargouille pivote lentement vers vous en produisant un grincement*

un socle sculpté. Dès votre entrée, la tête de la Gargouille pivote lentement vers vous en produisant un grincement. Peu à peu, la sculpture prend vie et descend de son piédestal en barrant le chemin qui mène à la sortie. Qu'allez-vous faire ?

Tirer votre épée ?   Rendez-vous au **172**

Utiliser la magie ?   Rendez-vous au **26**

Chercher dans votre sac à dos un objet qui pourrait vous être utile ?   Rendez-vous au **289**

Filer hors de la pièce par la porte du milieu ?   Rendez-vous au **64**

305

Vous jetez le pot à la figure de la Gargouille ; il vole en éclat, mais sans lui faire de mal. La créature alors vous frappe à toute volée sur la poitrine, et vous fait tomber. Vous perdez 2 points d'ENDURANCE. Hâtez-vous de fuir cette pièce, et rejoignez le balcon par la porte du milieu. Rendez-vous au **64**.

Un peu plus loin se trouve une porte, ou plutôt une demi-porte qui vous arrive à la taille. Un écriteau indique : « Réservé aux Joueurs. » Allez-vous pousser cette porte (rendez-vous au **52**), ou retourner sur vos pas et ouvrir la porte sculptée bizarre (Rendez-vous au **132**) ?

307

Pendant que vous prononcez la Formule, l'Homme-Rhino en profite pour vous porter un coup de lance au bras. Vous perdez 2 points d'ENDURANCE. Mais la Formule de Faiblesse produit à présent son effet, et la créature ralentit, puis se met à souffler et à haleter. Vous tirez votre épée pour l'achever.

HOMME-RHINO	HABILETÉ : 4	ENDURANCE : 7

Si vous êtes vainqueur, vous pouvez entrer dans la Citadelle. Rendez-vous au **177**.

308

La poignée tourne et vous entrez dans une chambre obscure. Rendez-vous au **257**.

309

Le petit homme et vous-même fouillez les poches du grand. Vous y trouvez 20 Pièces d'Or que vous vous partagez et vous décidez de jouer la dague à pile ou face. Face, vous gagnez, Pile, c'est le petit homme qui gagne. *Jetez une pièce :* si vous gagnez la dague, rendez-vous au **15**. Sinon, rendez-vous au **245**.

Quelle Formule allez-vous utiliser ?

Copie Conforme ?   Rendez-vous au **181**

Illusion ?   Rendez-vous au **250**

Télépathie ?   Rendez-vous au **393**

Si vous n'avez aucune de ces Formules, retournez au **104** et faites un nouveau choix.

311

Vous vous concentrez en murmurant des incantations magiques. L'une des vieilles femmes remarque alors votre manège et prévient les deux autres. Vous lancez le sort, mais rien ne se passe. « Nous ne vous laisserons jamais vous servir de votre magie contre notre Devlin ! » lance l'une des vieilles femmes. Vous avez gaspillé une Formule : rayez-en une, au choix, sur votre liste. A présent, le Devlin est presque sur vous. Vous pouvez soit essayer de lui échapper (rendez-vous au **178**), soit tirer votre épée (rendez-vous au **61**).

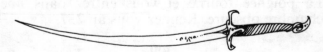

312

Vous tendez le Miroir à l'Hydre, ce qui semble produire fort peu d'effet, car elle continue à avancer. Une de ses têtes fait tomber le Miroir qui s'écrase sur le sol. Il va falloir trouver autre chose. Rendez-vous au **184**.

Les fruits sont juteux et sucrés. Vous en mangez un, puis deux. Quel goût délicieux ! Ajoutez 2 points à votre total d'ENDURANCE. Mais vous êtes stupéfait de constater qu'en essayant ensuite de vous éclaircir la gorge, aucun son n'en sort. Vous avez mangé le Fruit du Silence. Son effet n'est que passager, mais vous ne pourrez plus parler pendant quelque temps, et vous aurez du mal à vous faire comprendre. Ce qui signifie que vous ne pourrez pas utiliser votre magie la prochaine fois qu'une Formule Magique vous sera proposée en option. Dès que vous aurez quitté un paragraphe où l'on vous proposait un tel choix, tout redeviendra normal. A présent, vous pouvez poursuivre votre chemin soit par la porte située dans le mur de gauche (rendez-vous au **13**), soit par celle qui se trouve face à la porte que vous venez de franchir (rendez-vous au **281**).

314

Vous vous concentrez en essayant de créer l'illusion que la pièce vacille (rayez cette formule de votre liste). Mais le sortilège reste sans effet. Vous ne parvenez pas à vous concentrer pleinement, et Balthus le Terrible est presque sur vous. Rendez-vous au **373**.

315

Balthus le Terrible se concentre, tandis que vous manipulez votre Myriade. Vous appuyez sur un bouton, et une lumière brillante de la longueur d'une épée jaillit soudain de l'objet. C'est une Épée de Soleil qui vous donnera 4 points d'HA-

BILETÉ supplémentaires quand vous l'utiliserez pour combattre. Vous vous tournez ensuite vers le Sorcier qui s'est concentré sur un sortilège. Rendez-vous au **191**.

316

Les bruits de pas que vous entendiez — qui étaient plutôt des bruits de mains — appartiennent à trois ROULARDS qui avancent dans votre direction en vous forçant à reculer vers la porte. Ce sont d'étranges créatures qui, à la place des jambes, possèdent deux mains supplémentaires. Ils se déplacent en roulant très vite, et leurs têtes — ou plutôt leurs faces — occupent le milieu de leur thorax. Les Roulards, en raison de leur forme particulière, ne sont pas très habiles à manier l'épée, mais ils sont, en revanche, d'excellents lanceurs de couteaux. Ils portent ces couteaux à leur ceinture, et les lancent à un rythme très rapide, tout en roulant sur eux-mêmes comme des soleils de feu d'artifice. Or voici que, soudain, trois couteaux jaillissent dans votre direction. Vous pouvez soit utiliser une Formule de Protection pour vous défendre (rendez-vous au **220**), soit *Tenter votre Chance*. Si vous faites ce dernier choix, et si vous êtes Chanceux, rendez-vous au **139**. Si vous êtes Malchanceux, rendez-vous au **300**.

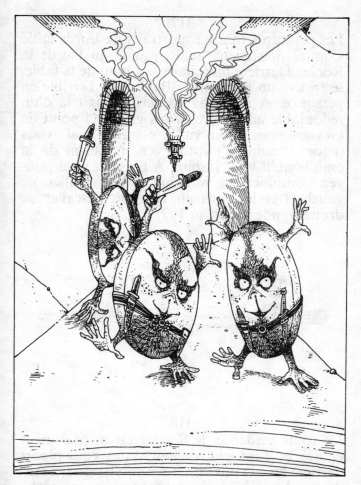

316 *Trois Roulards roulent dans votre direction et vous forcent à reculer vers la porte. Ce sont d'étranges créatures qui, à la place des jambes, possèdent deux mains supplémentaires.*

317

Les peintures sont des portraits de Lords et de Comtes prestigieux au Royaume du Pic de la Roche. Derrière une chaise, au bout de la table, se trouve un portrait de Balthus le Terrible en personne. A n'en pas douter, il s'agit là d'un redoutable adversaire. Vous gagnez 1 point de CHANCE pour avoir vu ce portrait, mais vous perdez 1 point d'ENDURANCE en raison de la crainte qu'il vous inspire. A présent, vous pouvez continuer en montant soit l'escalier de gauche (rendez-vous au **19**), soit l'escalier de droite (rendez-vous au **197**).

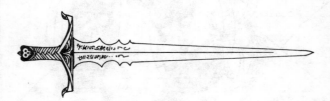

318

De toute évidence, le Sorcier est mentalement épuisé, et il est lent à réagir. Vous vous placez derrière lui, et vous remarquez qu'il porte, à l'index de la main droite, une bague en or sertie d'un énorme rubis. Vous pouvez essayer de lui arracher sa bague (rendez-vous au **381**), ou bien tirer votre épée (rendez-vous au **117**), ou encore chercher dans votre sac à dos un objet qui pourrait vous aider (rendez-vous au **277**).

319

Vous vous concentrez sur votre bras qui commence à durcir et à prendre la couleur métallique du fer. Les yeux du vieil homme s'élargissent de stupeur. Vous luttez pour vous libérer, mais ses dents tiennent bon, et vous perdez 2 points d'ENDURANCE, en n'oubliant pas de rayer de votre liste la Formule d'Illusion que vous venez d'utiliser. De toute évidence, votre Illusion n'était pas suffisamment convaincante. Il ne vous reste plus qu'à tirer votre épée. Rendez-vous au **333**.

320

Vous vous concentrez mais, malgré vos efforts, vous ne recevez aucune pensée de Balthus le Terrible. Il bloque votre pouvoir télépathique. Vous pouvez essayer une Formule d'Illusion (rendez-vous au **332**), ou de Faiblesse (rendez-vous au **113**). Si vous préférez tirer votre épée, rendez-vous au **351**.

321

Vous vous glissez prudemment le long des remparts, en faisant bien attention de ne pas être vu. Il y a deux groupes de créatures en face de vous. A droite, vous apercevez deux silhouettes de forme humaine qui bavardent sous une torche fixée au mur. A gauche, quatre créatures de formes et de tailles différentes sont en train de manger, assises autour d'un feu de bois. Allez-vous vous approcher des deux personnages sous la torche (rendez-vous au **269**) ou des créatures rassemblées autour du feu (rendez-vous au **339**) ?

322

Que choisissez-vous dans votre sac à dos ?

L'Homme-Araignée
dans son Bocal ?   Rendez-vous au **39**

Une Amulette
Ensorcelée ?   Rendez-vous au **168**

Un pot d'Onguent ?   Rendez-vous au **291**

Si vous n'avez aucun de ces objets, vous devez tirer votre épée et leur faire face (rendez-vous au **248**).

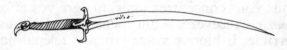

323

Vous vous réveillez, et vous regardez autour de vous. La mémoire vous revient alors, et vous êtes étonné d'avoir recouvré la vue ! De plus, votre jambe ne porte aucune blessure bien qu'elle soit légèrement douloureuse. Au même instant, un petit rire retentit au-dessus de vous, et soudain vous comprenez tout... O'Seamus flotte dans les airs en riant aux éclats. Tout ce qui s'est passé n'était qu'un jeu ! Fou de rage, vous vous relevez et vous jetez un regard furieux au drôle de petit bonhomme qui se tord de rire en voltigeant de ci, de là. Peu à peu, cependant, vous ne pouvez vous empêcher d'être sensible au côté comique de la situation, et vous vous mettez à sourire, puis à pouffer, et enfin à rire bruyamment. Vous partagez ainsi pendant un bon moment l'hilarité d'O'Seamus, jusqu'à ce que les larmes ruissellent sur votre visage. Lorsqu'enfin vous parvenez tous deux à reprendre votre sérieux, vous vous installez pour bavarder. O'Seamus est d'un commerce fort agréable et, avant de vous quitter, il dit : « Vous êtes un brave garçon, mais votre chemin est semé de dangers. Peut-être ceci vous aidera-t-il... ». Il fait alors un geste de la main, et une épée ainsi qu'une assiette apparaissent aussitôt sur la table. L'épée est magique, et quand vous l'utiliserez, vous ajouterez 1 point à votre *Force d'Attaque*. Quant à l'assiette, il s'agit en fait d'un Miroir d'Argent finement ciselé. Vous pouvez emporter le miroir et l'épée, mais vous devrez dans ce cas abandonner votre ancienne épée. A présent, vous pouvez repartir en franchissant l'une de ces trois portes :

La porte à poignée de laiton	Rendez-vous au **386**
La porte à poignée de cuivre	Rendez-vous au **144**
La porte à poignée de bronze	Rendez-vous au **338**

324

« Tu ne peux pas te cacher de moi ! » hurle le Sorcier. C'est vrai en effet, et vous vous rendez également compte qu'il serait dangereux de le perdre de vue. Rendez-vous au **369**.

325

L'Homme-Rhino est massif, maladroit, et il pousse des grognements furieux tandis que vous esquivez ses coups. Votre épée à la main, vous allez le combattre :

HOMME-
RHINO   HABILETÉ : 8   ENDURANCE : 9

Si vous gagnez, vous pouvez entrer dans la Tour Noire. Rendez-vous au **177**.

326
Vous replacez le livre sur son étagère. Allez-vous continuer à feuilleter d'autres ouvrages (rendez-vous au **84**), ou préférez-vous sortir par la porte du fond, derrière le bibliothécaire (rendez-vous au **31**) ?

327
Ils prennent la Myriade et jouent avec elle. Pendant qu'ils s'amusent ainsi, vous vous glissez vers la porte du fond. Rendez-vous au **366**. Rayez le cadeau offert de votre *Feuille d'Aventure*.

328
Vous refermez la porte derrière vous et vous vous retrouvez au pied d'un autre escalier en colimaçon qui mène au sommet de la Tour. Vous en montez les marches et vous arrivez à un autre balcon face à une seule et unique porte dont vous tournez la poignée. La porte s'ouvre sans difficulté et, tandis que vous la poussez, vous entendez, de l'autre côté, un sifflement sonore. Vous pénétrez dans une pièce et votre sang se glace aussitôt car une immense HYDRE à six têtes s'avance vers vous en rampant sur un

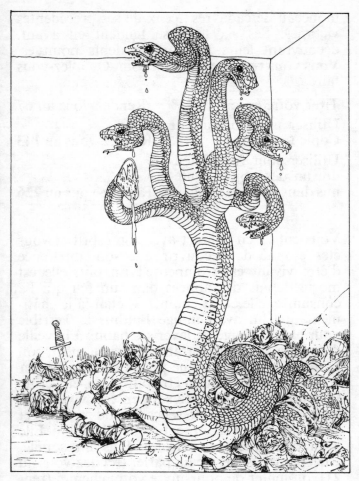

328 *Vous pénétrez dans une pièce et votre sang se glace aussitôt, car une immense Hydre à six têtes s'avance vers vous en rampant.*

monceau de cadavres : ceux de ses précédentes victimes. Ses six têtes se tendent en avant, découvrant leurs redoutables dents pointues. Vous vous réfugiez dans un coin. Qu'allez-vous faire ?

Tirer votre épée ?   Rendez-vous au **67**

Utiliser une Formule de Copie Conforme ?   Rendez-vous au **143**

Utiliser pour vous défendre un des objets contenus dans votre sac à dos ?   Rendez-vous au **226**

329

Vous entrez en contact avec son esprit et vous êtes étonné de découvrir que son apparence d'être vivant est trompeuse ! En fait, elle est morte depuis des années dans un feu qui l'a consumée, elle et ses enfants. C'était là le châtiment que lui avait infligé Balthus le Terrible pour avoir négligé de laver ses habits à la veille d'une rencontre importante. Et, à sa mort, son fantôme a été condamné pour l'éternité à laver des vêtements. C'est un être pitoyable, en vérité. Et tandis que vous lisez ses pensées, vous vous apercevez que votre présence la rend méfiante et provoque chez elle un sentiment d'hostilité. Elle psalmodie quelques paroles dans un souffle. Allez-vous essayer de lui parler (rendez-vous au **21**), ou tenter de poursuivre votre chemin (rendez-vous au **221**) ?

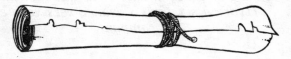

330

Lorsqu'il voit le Bocal, le Sorcier pousse un cri d'horreur. Vous devinez aussitôt que l'Homme-Araignée pourrait être un excellent allié et vous le libérez du Bocal. Mais l'expression du Sorcier change alors : il arbore un sourire cruel et vous voyez l'Homme-Araignée s'avancer vers vous et non pas vers lui ! Il vous faut combattre.

HOMME-
ARAIGNÉE   HABILETÉ : 7   ENDURANCE : 5

Dès que la créature aura réussi à vous infliger une blessure, rendez-vous au **208**. Mais si vous gagnez, en esquivant tous ses coups, rendez-vous au **119**.

331

Vous n'avez pas été assez rapide et les dents pointues du Poisson Mordeur s'enfoncent dans votre nez. Vous essuyez votre visage en sang et vous perdez 1 point d'HABILETÉ et 3 d'ENDU-RANCE. Les trois vieilles sorcières s'avancent vers vous en traînant les pieds et vous poussent vers la porte du fond. Puis, vous abreuvant d'injures, elles vous expulsent de la cuisine. Rendez-vous au **265**.

332

Balthus le Terrible reste bouche bée en vous voyant vous transformer. Votre corps, en effet, grandit en taille et en force. Votre peau prend une teinte rouge sombre et des cornes vous poussent sur la tête. Vos dents se sont changées en pointes noires et tranchantes et votre langue, à présent fourchue, jaillit de votre bouche en un sifflement menaçant. Vous êtes devenu un DÉMON DE FEU et vous saisissez le Trident qui se trouve par terre : c'est votre arme. Le sorcier s'écarte dans un mouvement de terreur et vous pouvez soit sauter par-dessus la table pour l'attaquer (rendez-vous au **80**), soit lui ordonner d'abandonner ses plans de conquête et de se rendre (rendez-vous au **48**).

333

Vous tirez votre épée et vous vous préparez à le tailler en pièces. A ce moment, il lève les yeux sur vous et vous comprenez qu'il ne contrôle pas vraiment ses actes. Avec un sentiment de pitié vous lui donnez alors un coup sur la tête, avec la poignée de votre épée. Il hurle et lâche votre bras, puis vous l'abandonnez par terre, gémissant et se frottant la tête. Vous perdez 2 autres points d'ENDURANCE pour le mal qu'il vous a fait au bras et vous continuez votre chemin. Rendez-vous au **14**.

334

Vous buvez une gorgée. Pas mauvais ! Vous en avalez alors une bonne rasade en vous étonnant de voir l'Elfe Noir éclater de rire. Soudain, il vous demande si vous êtes vraiment un invité. Vous vous entendez aussitôt répondre que non et que vous êtes plutôt venu déjouer les projets de conquête de Balthus le Terrible. Vous poussez un juron en comprenant que ce vin devait contenir un sérum de vérité ! L'Elfe Noir connaît maintenant les raisons de votre présence et il faut à tout prix l'empêcher d'avertir les autres. Vous dégainez votre épée et, au même instant, il tire de la poche, attachée à sa ceinture, un petit objet en métal. Dès qu'il l'a touché, l'objet se change en sabre. Rendez-vous au **275**.

335

Sous la table se trouve un tiroir secret, légèrement entrouvert, d'où dépasse un rouleau de parchemin. Vous attrapez le rouleau et vous le glissez dans votre tunique. A cet instant, vous entendez Balthus le Terrible prononcer quelques paroles dans un murmure. Une Formule Magique, à n'en pas douter ! Mais laquelle ? Et que faire pour vous défendre ? Soudain, le Sorcier se met à courir autour de la table, en touchant tour à tour chacun de ses quatre côtés. A chaque fois qu'il la touche ainsi, la table répond par un craquement. Rendez-vous au **342**.

336

Menez le combat contre la créature.

GARK   HABILETÉ : 7   ENDURANCE : 11

Après quatre *assauts*, vous aurez le droit de prendre la *Fuite* par l'une des portes, au fond de la pièce (rendez-vous au **99**). Sinon, vous devrez vous battre jusqu'à la mort. Si vous gagnez, rendez-vous au **180**.

337

Le Sorcier est aussi habile à manier l'épée qu'à pratiquer la magie. Menez le combat :

**BALTHUS
LE
TERRIBLE**   HABILETÉ : 12   ENDURANCE : 19

Si vous avez réussi à lui voler sa bague, déduisez 2 points de son total d'HABILETÉ car il s'agit d'un Anneau de Haute Escrime. Si vous gagnez, rendez-vous au **400**.

338

La porte s'ouvre sur un couloir dont vous suivez, sur une certaine distance, le tracé sinueux. Il s'enfonce dans le roc en obliquant sans cesse de droite et de gauche. Vous dépassez ensuite l'entrée d'un autre couloir qui part vers la droite. Enfin, le passage que vous empruntez s'élargit et vous vous rendez au **90**.

339

Diverses créatures fort dissemblables sont assises autour du feu. Un Orque au visage couvert de verrues distribue de maigres portions de viande à moitié cuites à ses convives et un Nain grincheux, à la peau verdâtre, se plaint d'avoir été mal servi. Deux Gobelins disgracieux — un homme et une femme — se tiennent tendrement enlacés en poussant de petits cris. De temps à autre, la femme gifle la figure repoussante de son compagnon, ce qui semble les amuser grandement. A votre approche, les quatre créatures se retournent et vous dévisagent avec hostilité.

190

339 *Diverses créatures fort dissemblables sont assises autour du feu : un Orque au visage couvert de verrues, un Nain grincheux, à la peau verdâtre, deux Gobelins disgracieux...*

Votre aspect soigné les fait ricaner et la femme Gobelin chuchote quelque chose à l'oreille de son compagnon. En face du Nain, il y a une boîte ouverte qui contient une fiole de liquide, d'après ce que vous pouvez voir. Qu'allez-vous faire ?

Vous asseoir auprès
d'eux ?   Rendez-vous au **134**

Leur demander la per-
mission de vous joindre à
eux ?   Rendez-vous au **149**

340

Vous lui tendez le Miroir, mais la créature, d'un seul geste le brise en mille morceaux. Il vaut mieux quitter cette pièce au plus vite et essayer la porte du milieu, sur le balcon. Rendez-vous au **64**.

341

Vous prononcez la Formule Magique et vous avancez, protégé par une barrière invisible. Quatre ou cinq flèches sifflent dans votre direction, mais elles s'écrasent contre le bouclier magique et tombent par terre à un mètre de vous. Quelques instants plus tard, vous atteignez le monument. N'oubliez pas de rayer la Formule de Protection de votre liste. Rendez-vous au **209**.

342

Le Sorcier s'écarte de la table et éclate de rire.
« Et maintenant, je te tiens, pauvre imbécile ! »
exulte-t-il. Vous sortez prudemment de sous le
meuble, ou plutôt, vous *essayez* de sortir car il
vous est impossible d'aller plus loin que les pieds
de la table. Balthus le Terrible a dressé d'invisibles murs qui vous emprisonnent ! Et malgré
tous vos efforts, vous ne pouvez pas les franchir.
Vous êtes désormais son prisonnier, ce qui
signifie que vous avez échoué dans votre mission.

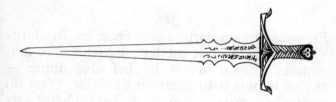

343

En suivant le passage, vous arrivez à une autre
bifurcation. Irez-vous à gauche (rendez-vous au
55), ou à droite (rendez-vous au **249**) ?

344

Vous descendez l'escalier. L'air y est frais et
humide. Au bas des marches se trouve une
porte. Voulez-vous essayer de la franchir (rendez-vous au **7**), ou préférez-vous remonter l'escalier et vous diriger vers la porte du rez-de-
chaussée (rendez-vous au **5**) ?

345

La créature grogne tandis que la Formule Magique fait son effet. L'énorme poids du monstre est devenu un fardeau et il se traîne vers vous sans pouvoir vous atteindre. Il ne vous reste plus alors qu'à vous diriger vers la porte du fond en vous rendant au **140**.

346

En vous voyant sortir votre épée, les Roulards s'immobilisent et se mettent à parler avec animation. L'un d'eux — le chef sans doute — envoie le plus petit chercher de l'aide. C'est du moins ce que vous croyez deviner. Quant aux deux autres, ils tirent leurs couteaux et avancent lentement vers vous en roulant sur eux-mêmes. Menez le combat en les affrontant tour à tour.

	HABILETÉ	ENDURANCE
Premier ROULARD	7	6
Deuxième ROULARD	6	5

Si vous êtes vainqueur, prenez soit le couloir de gauche (rendez-vous au **243**) soit le couloir de droite (rendez-vous au **2**).

La Gorgone pousse un cri de terreur en apercevant le Miroir. Vous risquez alors un regard vers elle, en levant lentement les yeux depuis ses pieds jusqu'à sa tête. Mais la créature a disparu. A sa place, se tient face à vous Balthus le Terrible. Rendez-vous au **12**.

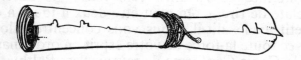

348

« Oh, à votre place, je n'irais pas par *là* ! dit O'Seamus, vous vous retrouveriez en des lieux fort déplaisants : ces trois portes que vous voyez au fond de la pièce sont les seules issues possibles ; mais deux d'entre elles sont *très* dangereuses et la troisième sent très mauvais. » L'une de ces portes a une poignée de laiton, la deuxième une poignée de cuivre et la troisième une poignée de bronze. Laquelle choisirez-vous ?

La porte à poignée de laiton ?	Rendez-vous au **207**
La porte à poignée de cuivre ?	Rendez-vous au **22**
La porte à poignée de bronze ?	Rendez-vous au **354**
Ou préférez-vous lui demander son avis ?	Rendez-vous au **68**

Un double de Balthus le Terrible se matérialise devant vos yeux et le Sorcier fronce les sourcils. « Attaque ! » ordonnez-vous à cette Copie Conforme qui avance aussitôt vers le centre de la pièce. Mais, lorsqu'il n'est plus qu'à deux mètres de Balthus le Terrible, le double se prend la tête entre les mains. Puis il lève les yeux, fait volte-face et s'avance vers *vous* ! Le Sorcier éclate de rire. « On peut être deux à jouer à ce petit jeu ! » dit-il. Vous vous concentrez alors avec toute la force de votre esprit en ordonnant à la Copie Conforme de revenir vers Balthus le Terrible. La créature cesse enfin d'avancer et vous obéit en retournant sur ses pas. Ce petit manège se répète pendant un bon moment car vous avez tous deux le pouvoir de commander au double lorsqu'il s'approche suffisamment près de l'un ou de l'autre. La Copie Conforme va et vient ainsi jusqu'à ce qu'elle disparaisse, le sortilège ayant pris fin. Mais cet exercice de concentration vous a épuisé. Et lorsque vous regardez à nouveau le sorcier, vous le voyez lever les mains puis les abattre violemment sur la table. De quel tour de magie va-t-il user, à présent ? Rendez-vous au **157**.

350

Vous tentez de vous débarrasser d'elle à l'aide d'une ruse très simple, en espérant qu'elle n'est pas trop intelligente. Vous scrutez l'obscurité et vous affirmez que vous avez aperçu une créature qui lui ressemble. Elle prétend que vous vous trompez, mais vous finissez par la convaincre et elle se décide à aller vérifier, par elle-même, ce qui vous permet de filer vers l'entrée de la Tour Noire. Rendez-vous au **218**.

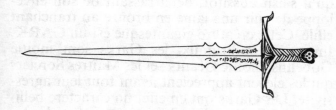

351

Tandis que vous avancez, l'épée à la main, le Sorcier sort un cimeterre de sa ceinture. « Eh bien soit ! ricane-t-il, j'aurai grand plaisir à en finir avec toi l'arme à la main ! » A ces mots, il bondit par-dessus la table et se précipite sur vous. C'est un duel à mort qui s'engage.

BALTHUS
LE
TERRIBLE HABILETÉ : 12   ENDURANCE : 19

Si vous tuez le Sorcier, rendez-vous au **400**.

Vous entrez dans la pièce sur la pointe des pieds. L'endroit est lugubre et humide. Un poteau de bois brut muni de plusieurs crochets est fixé à un mur. Au fond de la pièce, vous apercevez deux portes. A l'un des crochets est pendu un miroir dans lequel la flamme de votre torche se reflète, provoquant un éclat de lumière qui vient frapper le visage d'un géant endormi. Le géant pousse un grognement, se retourne, ouvre un œil puis l'autre, et se lève d'un bond en vous voyant. Il utilisait, en guise d'oreiller, une hache qu'il saisit aussitôt, débarrassant de son enveloppe de cuir une lame en bronze au tranchant effilé. Cette créature gigantesque est un GARK. Immenses et brutaux, les Garks sont moitié Gobelins, moitié Géants ; et les Maîtres Sorciers qui les élèvent apprécient avant tout leur agressivité. Les Garks ont en effet un caractère belliqueux, et ce sont des adversaires aussi redoutables que stupides. Qu'allez-vous faire à présent ?

Foncer vers les portes ?   Rendez-vous au **203**

Tirer votre épée ?   Rendez-vous au **16**

Vous excuser de l'avoir dérangé ?   Rendez-vous au **216**

Utiliser une Formule Magique ?   Rendez-vous au **11**

La vitrine contient toutes sortes d'armes, mais une épée à la lame d'acier bleuté attire particulièrement votre attention, et lorsqu'il vous voit la prendre, Balthus le Terrible est saisi de

352 *Le géant pousse un grognement, se
retourne, ouvre un œil, puis l'autre, et se
lève d'un bond en vous voyant.*

fureur. « Ne touche pas à cette arme ! » hurle-t-il. Mais il est trop tard, vous l'avez déjà à la main. « Eh bien soit, tant pis ! » dit-il alors en tirant un cimeterre de sa ceinture. Il s'avance ensuite vers vous et vous vous rendez compte qu'il va falloir livrer là un combat à mort.

BALTHUS
LE
TERRIBLE   HABILETÉ : 12   ENDURANCE : 19

Votre nouvelle arme est une épée enchantée qui ajoute 2 points à votre *Force d'Attaque*.

Si vous gagnez, rendez-vous au **400**.

354
Vous ouvrez la porte et vous entrez dans une autre pièce, ravi d'avoir quitté cette agaçante créature. Rendez-vous au **188**.

355
Si vous ne voulez pas (ou ne pouvez pas) utiliser la magie, vous devrez compter sur votre épée. Rendez-vous au **351**.

356
Soulagés de savoir que vous ne leur voulez aucun mal, ils se rasseoient par terre et vous invitent à vous joindre à eux. La pièce est petite et simple ; quelques plantes sont accrochées aux murs, sans doute en guise de décoration, bien que leurs feuilles soient fanées et même mortes depuis longtemps. Un petit feu brûle dans un coin, et sa fumée s'échappe par un simple trou

pratiqué dans le plafond. Deux portes sont aménagées dans le mur opposé, une à gauche, une à droite. Vous vous asseyez pour bavarder avec ces petites créatures maigrelettes qui vous déclarent être des Éclaireurs. Elles sont d'un commerce tout à fait agréable, riant et plaisantant volontiers avec vous. Vous décidez cependant de ne pas prendre le risque d'en dire trop quant à votre mission, et vous vous contentez de poser quelques questions générales sur le Royaume du Sorcier. Balthus le Terrible est le maître des lieux et passe la plupart de son temps tout en haut de la Tour Noire. Sa femme, une sorcière d'une grande beauté et fort vaniteuse, aime à profiter de tout ce que l'argent et le pouvoir peuvent offrir. Les créatures malfaisantes sont nombreuses dans la Citadelle, mais il faut se méfier tout particulièrement des Ganjees qui rôdent, la nuit, dans la Tour. Vous remerciez vos hôtes d'avoir ainsi bavardé avec vous, puis vous vous levez, et vous vous préparez à partir. Vous gagnez 2 points d'ENDURANCE pour avoir pris quelque repos, et 1 point de CHANCE pour avoir recueilli ces informations. Les Éclaireurs vous proposent alors de vous rendre service, car ils ont apprécié votre compagnie. Qu'allez-vous faire ?

Accepter leur offre ?   Rendez-vous au **146**

Décider de ne pas prendre de risque et sortir par la porte de gauche ?   Rendez-vous au **185**

Sortir par la porte de droite ?   Rendez-vous au **23**

201

357

Apparemment, la créature est sourde et muette. Vous lui parlez dans toutes les langues que vous connaissez, mais elle garde le silence. Vous avancez alors vers le centre de la pièce. Rendez-vous au **200**.

358

Malheureusement, vous n'êtes pas en position de proférer des menaces, et le Sorcier se contente de rire en resserrant son étreinte. Il vous conseille alors de reconsidérer sa proposition, sinon vous allez vers une mort certaine. Persisterez-vous à refuser son offre pour ne pas trahir les vôtres (rendez-vous au **148**), ou allez-vous accepter de vous soumettre (rendez-vous au **256**) ?

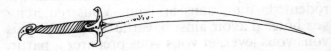

359

Vous vous baissez mais sans parvenir à éviter le projectile qui vous frappe au front et s'écrase sur votre visage. Tout votre corps se raidit alors, dans l'attente d'une possible brûlure due à un acide. Mais un liquide gluant coule simplement sur vos joues et s'égoutte par terre. Avec mille précautions, vous essayez de savoir ce que c'est, d'abord en le touchant du doigt, puis en y goûtant ; et vous vous rendez compte alors que vous avez été atteint par une tomate bien mûre ! Vous vous tournez à nouveau vers la silhouette endormie, et vous allez au **29**.

Vous prononcez une autre Formule de Copie Conforme, et votre moitié d'Hydre grandit un peu, mais sans parvenir à former une créature complète. Vous avez besoin d'une troisième Formule de Copie Conforme pour qu'apparaisse l'Hydre dans son entier. Si vous possédez encore une telle Formule, utilisez-la, et laissez les deux créatures se battre jusqu'à la mort.

HYDRE   HABILETÉ : 10   ENDURANCE : 17

Si la Copie Conforme gagne, rendez-vous au **229**. Si elle perd ou si vous n'avez pas la Formule demandée, il va falloir trouver autre chose, et vous rendre au **184**.

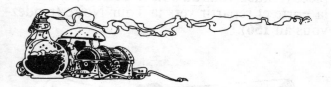

361

La porte s'ouvre à nouveau, mais vous entendez alors le bruit assourdissant d'une sonnette d'alarme ! *Tentez votre Chance.* Si vous êtes Chanceux, rendez-vous au **297**. Sinon, rendez-vous au **126**.

La porte s'ouvre sur une petite pièce éclairée par un chandelier. Vous regardez prudemment à l'intérieur, et vous voyez un étrange spectacle. Sur un autel de pierre, sont posés trois calices en argent qui contiennent des liquides de couleurs différentes : l'un est clair, l'autre rouge, le troisième d'un blanc laiteux. Trois petites créatures ailées, ressemblant à des Gremlins, volètent autour de l'autel en poussant des piaillements excités. De temps en temps, l'un atterrit sur l'autel et boit une gorgée du liquide laiteux. La porte grince alors sur ses gonds, ce qui les fait sursauter. Ils se tournent aussitôt vers vous, et sont saisis d'une grande agitation en vous apercevant. Vous pouvez soit entrer dans la pièce (rendez-vous au **58**), soit refermer très vite la porte et repartir vers la Tour Noire (rendez-vous au **156**).

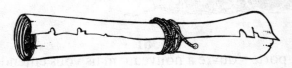

363

Sur le balcon, il y a trois portes. Laquelle allez-vous essayer d'ouvrir ?

La porte de gauche ?   Rendez-vous au **228**

La porte du milieu ?   Rendez-vous au **64**

La porte de droite ?   Rendez-vous au **304**

362 *Sur un autel de pierre, sont posés trois calices en argent qui contiennent des liquides de couleurs différentes.*

364

Votre Formule Magique fait son effet, et une petite souris se met à trottiner vers la table. Vous poussez alors un juron : vous vouliez faire apparaître un ennemi du Calacorm, et voilà le résultat ! Vous reprenez cependant espoir lorsque l'une des têtes de la créature semble terrifiée à la vue du rongeur. La seconde tête remarque à son tour la souris, et des cris horrifiés sortent aussitôt des deux gorges du Calacorm. La créature saute sur la table sans cesser de hurler, tandis que l'inoffensive petite souris flaire le sol avec application pour trouver son chemin. Pendant quelques instants, vous laissez le Calacorm en proie à sa terreur, puis vous lui promettez que vous ferez disparaître la souris s'il vous rend la liberté. Il accepte avec empressement et vous lance les clefs. Vous vous hâtez de sortir, vous récupérez votre épée posée contre le mur, et vous poursuivez votre chemin. Après avoir parcouru une bonne distance dans le couloir, vous levez le sortilège et la souris disparaît. Rendez-vous au **174**.

365

Vous avez choisi de jouer à la Dague-Dingue, un jeu mortel que les lois de la plupart des royaumes alentour interdisent formellement. Mais puisque votre choix est fait, il va falloir jouer au moins une partie. Bien entendu, vous pourrez jouer davantage si vous le désirez. Le Maître de Jeux est un apprenti-sorcier, et il a sélectionné à votre intention les prix que vous gagnerez en cas de victoire. Si vous survivez, vous pourrez demander au choix : deux Formules Magiques supplémentaires (à prendre dans la liste proposée au début du livre), 50 Pièces d'Or ou une cuirasse enchantée (qui vous permettra, lorsque vous la porterez, d'ôter 2 points à la *Force d'Attaque* de toute créature que vous combattrez). Voici les règles du jeu : six dagues sont posées sur une table. L'une est une arme véritable. Les cinq autres sont truquées : leurs lames rentrent dans le manche par un système de ressorts. Vous jouez contre l'une des créatures présentes dans la salle, et il n'y aura qu'un seul survivant. Chacun à votre tour, vous devrez choisir une dague, et vous poignarder vous-même la poitrine. Si la dague n'est pas truquée, c'est la mort assurée. Si elle l'est, vous la reposez sur la table où elle sera à nouveau mélangée aux cinq autres. Le jeu continue jusqu'à ce que l'un de vous choisisse la véritable dague et se poignarde en plein cœur. Le survivant, alors, n'a plus qu'à réclamer son prix.

C'est à votre adversaire de faire le premier choix. Jetez un dé pour lui, puis un autre pour vous. Dès que l'un de vous aura tiré un six, cela voudra dire qu'il a choisi la vraie dague. Si c'est vous, vous vous serez tué de votre propre main. Maintenant que vous connaissez les règles du jeu, le seul moyen pour vous d'éviter de jouer, ne serait-ce qu'une fois, consiste à utiliser une Formule d'Illusion (dans ce cas, rendez-vous au **9**). Si vous n'avez pas cette Formule ou si vous ne voulez pas vous en servir, vous devrez jouer au moins une fois. Lorsque vous aurez décidé d'arrêter, vous pourrez jouer soit au Pique-Six (rendez-vous au **171**), soit au Roc-Bombe (rendez-vous au **278**). Mais si vous préférez dire au revoir à vos « amis » et quitter la Salle de Jeux, rendez-vous au **31**.

366

Les petites créatures vous regardent passer en silence. Elles semblent s'intéresser à vous, mais sans plus ; et vous avez l'impression que quelque chose ne tourne pas rond. Rendez-vous au **140**.

367

Un peu plus loin, vous arrivez à un carrefour à quatre voies. Vous prenez la direction du nord. Ce couloir mène à une grande porte en bois. Vous collez votre oreille contre le trou de la serrure, mais vous n'entendez rien. Allez-vous essayer d'ouvrir lentement la porte, sans faire de bruit (rendez-vous au **308**), ou préférez-vous la défoncer (rendez-vous au **121**) ?

368

Vous fouillez leurs poches à tous deux, et vous y trouvez, en tout, 28 Pièces d'Or que vous emportez ainsi que la dague. Rendez-vous au **15**.

369

Il faut essayer de savoir ce que prépare le Sorcier, et vous vous risquez à jeter un coup d'œil dans la pièce en écartant le rideau. Mais celui-ci se met soudain à claquer, comme agité par le vent, alors qu'il n'y a pas le moindre courant d'air. Puis, il se resserre autour de vous, et vous luttez pour essayer d'échapper à l'étreinte de l'épaisse draperie. Mais elle s'enroule autour de votre tête, de votre cou, et vous étouffez. Vous continuez à vous débattre, mais en vain. Vous êtes alors pris de vertige : le Sorcier est maître de la situation, et vous ne pouvez plus rien faire. Autour de vous, tout devient sombre. Vous avez échoué dans votre mission.

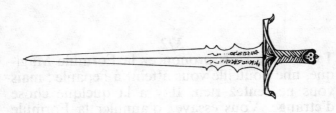

370

Le coffret est solide et vous n'arrivez pas à en forcer la serrure de vos seules mains. Vous sortez alors votre épée, et vous essayez de le fracasser ; mais le coffret vous tombe sur le tibia, en vous coupant profondément. Vous perdez 2 points d'ENDURANCE. Votre épée ne parviendra pas à vaincre la serrure. Qu'allez-vous faire ?

Essayer d'ouvrir le premier coffret	Rendez-vous au **260**
Essayer d'ouvrir le deuxième coffret	Rendez-vous au **129**
Abandonner les coffrets et continuer votre chemin ?	Rendez-vous au **237**

371

La créature ouvre la porte en grognant, et vous entrez. Rendez-vous au **177**.

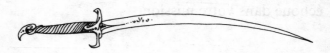

372

Tandis que vous prononcez la Formule Magique, une bouteille vous atteint à l'épaule ; mais vous ne sentez rien. Il y a là quelque chose d'étrange. Vous essayez d'annuler la Formule Magique : malheureusement, elle a déjà produit son effet, et vous voyez les bouteilles s'écraser contre la barrière magique que vous venez de créer. Quant à la bouteille qui vous a touché, elle a disparu. Vous poussez alors un juron, en réalisant que le vin auquel vous avez goûté avait des pouvoirs hallucinogènes : l'attaque des bouteilles n'existe que dans votre imagination ! Et lorsque cette idée devient claire en vous, le bombardement cesse aussitôt. Vous clignez des yeux : toutes les bouteilles sont à leur place habituelle dans les casiers, et vous décidez de poursuivre votre chemin. Rendez-vous au **95**.

Balthus le Terrible s'agenouille à vos côtés. D'une main, il saisit votre poignet, et vous sentez que sa force physique égale ses talents en matière de magie. « Tu es un adversaire valeureux, l'ami, dit-il. Ton pouvoir est supérieur à celui de bien des sorciers. Quel dommage de gaspiller de tels dons ! Je pourrais te tuer, à présent, mais je vais plutôt te faire une proposition : j'ai décidé de conquérir la Vallée des Saules, et si tu m'aides à réaliser ce projet, je te confierai le soin de gouverner le royaume. Qu'en dis-tu ? » Qu'allez-vous lui répondre ?

Jamais je ne trahirai mes compatriotes !

Rendez-vous au **148**

J'accepte votre offre (mais vous avez l'intention de le duper, quand vous serez à nouveau libre)

Rendez-vous au **256**

Balthus le Terrible, tu es un être maléfique. Mais je ne suis pas encore vaincu ! (vous allez essayer d'utiliser contre lui une autre Formule)

Rendez-vous au **358**

A peine remis de votre frayeur, vous jetez un coup d'œil autour de la pièce. C'est de toute évidence une sorte de Quartier Général. Des cartes d'État-Major sont accrochées aux murs, ainsi que des portraits de généraux du temps passé.

Des centaines de volumes à la reliure de cuir sont disposés sur des étagères. Des rideaux fermés cachent une haute fenêtre et, contre un mur, une armoire vitrée renferme des lances et des épées de toutes tailles et de toutes formes.

Au milieu de la pièce, sur une table, se trouve une maquette qui représente la Vallée des Saules. Des soldats de plomb sont déployés tout autour : il s'agit du plan d'invasion établi par le Sorcier ! Appuyé contre la table, Balthus le Terrible en personne vous fixe du regard. Sa stature est impressionnante : bâti comme un taureau, il mesure plus de deux mètres ; ses épaules sont extraordinairement larges, et il a des bras de lutteur. Avec sa tunique de combat en cuir et ses bracelets hérissés de pointes, il ressemble plus à un soldat qu'à un sorcier. « Misérable croquant ! rugit-il. Crois-tu pouvoir défier Balthus le Terrible ? » A ces mots, il claque des doigts, et vous entendez aussitôt un grognement derrière vous. Vous vous retournez : une grotesque créature s'avance dans votre direction. Elle a le corps couvert de poils, et ses quatre pattes sont dotées de crochets redoutables. « Je parie que tu n'es même pas de taille à vaincre la BÊTE AUX GRIFFES ! » lance Balthus le Terrible. Qu'allez-vous faire ?

Tirer votre épée ?	Rendez-vous au **30**
Utiliser une Formule de Protection ?	Rendez-vous au **109**
Utiliser une Formule de Faiblesse ?	Rendez-vous au **158**

374 *Appuyé contre la table, Balthus le Terrible en personne vous fixe du regard.*

375

Il désigne un livre sur une étagère : c'est un dictionnaire de toutes les créatures qu'on peut rencontrer au royaume du Pic de la Roche. Allez-vous consulter le chapitre consacré :

Aux Calacorms ?   Rendez-vous au **263**

Aux Miks ?   Rendez-vous au **135**

Aux Ganjees ?   Rendez-vous au **63**

376

Vous prononcez la Formule de Protection. Hélas, le sortilège reste sans effet contre les armes magiques, et les jets de feu transpercent votre bouclier invisible en vous brûlant les yeux. Vous hurlez de douleur et vous tombez à terre. Le rideau de la mort tombe devant vous. Vous avez échoué dans votre mission.

377

Vous réfléchissez. Quelle Formule allez-vous utiliser à présent ?

Illusion ?   Rendez-vous au **332**

Faiblesse ?   Rendez-vous au **113**

Télépathie ?   Rendez-vous au **320**

Aucune d'entre elles ?   Rendez-vous au **355**

378

Vous avancez de quelques pas et une autre flèche se plante juste à côté de votre pied. Quelques pas de plus... une flèche fend votre tunique en vous écorchant un bras. Vous ne voyez toujours personne. D'où viennent donc ces flèches ? Encore quelques pas... et à nouveau une flèche jaillit, mais cette fois, elle se plante dans votre mollet en vous arrachant un cri. Vous perdez 4 points d'ENDURANCE. Vous êtes à présent tout près du monument qui pourra vous protéger. Vous faites un bond en avant et vous vous réfugiez derrière, en attendant que cesse la pluie de flèches. Rendez-vous au **209**.

379

Vous lâchez la corde et vous vous envolez. Vous atterrissez au bord du fossé, en maudissant les pièges diaboliques que l'on réserve ainsi aux aventuriers de votre espèce. Vous vous dirigez ensuite vers la porte du fond et vous l'ouvrez. Rendez-vous au **206**.

380

Dès que vous vous asseyez, ils se lèvent. Le Nain prend un gourdin et bondit sur vous, tandis que le Gobelin et l'Orque saisissent leurs épées. La femme Gobelin pousse un cri et se réfugie dans l'obscurité. Rendez-vous au **213**.

381

Tentez votre Chance. Si vous êtes Chanceux, la bague glisse de son doigt et vous vous en emparez. Si vous êtes Malchanceux, la bague reste coincée et votre geste provoque la colère de

Balthus le Terrible qui vous fait face, l'épée à la main. Rendez-vous au **337**.

382

Saisis de panique, ils se mettent à courir en tous sens, se bousculant les uns les autres et criant : « Oh, mon Dieu ! Mon Dieu ! Comme cet étranger a l'air méchant ! Où sont nos armes ? » Leur affolement vous fait rire et vous rangez votre épée. Ils se calment aussitôt. Vous pouvez soit continuer votre chemin (rendez-vous au **285**), soit leur parler (rendez-vous au **356**).

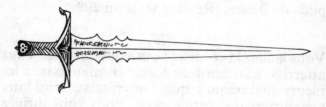

383

Le vieil homme retrouve ses forces, sous l'effet de la formule d'ENDURANCE (rayez-la de votre *Feuille d'Aventure*). Il vous raconte alors que les terribles Ganjees l'ont frappé à la tête, avec leur cruauté habituelle. Vous amenez la conversation sur la Citadelle et soudain, sans raison apparente, il est pris d'une violente douleur. Ses yeux se rétrécissent jusqu'à n'être plus que des fentes, et il se jette sur vous en plantant ses dents — des dents pointues ! — dans votre bras. Vous perdez 2 points d'ENDURANCE. Allez-vous le repousser à l'aide de votre épée (rendez-vous au **333**), ou utiliser la magie pour vous libérer (rendez-vous au **189**) ?

384

Vous manipulez la Myriade et soudain, une longue corde jaillit du manche. Vous allez essayer de capturer les têtes de la créature à l'aide de la corde qui est munie à son extrémité d'un crochet. Jetez un dé. Si vous faites un 5 ou un 6, rendez-vous au **252**. Si vous faites un 1, un 2, un 3 ou un 4, rendez-vous au **107**.

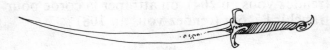

385

Ils vous accueillent avec des tapes dans le dos. Une créature à la peau sombre, sèche comme un coup de trique, vous met dans les mains une chope de bière que vous buvez d'un trait. Une autre chope arrive. Vous gagnez 2 points d'ENDURANCE car la bière est très rafraîchissante. Vous êtes ensuite invité à vous joindre à leurs jeux. A quoi allez-vous jouer ?

A la Dague-Dingue ?   Rendez-vous au **365**

Au Roc-Bombe ?   Rendez-vous au **278**

Au Pique-Six ?   Rendez-vous au **171**

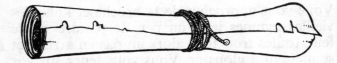

386

Derrière la porte, le passage descend et vous le suivez sur une certaine distance. Vous sentez une odeur nauséabonde qui empire au fur et à mesure que vous avancez. Bientôt, vous arrivez à l'entrée d'un nouveau passage. Vous y jetez un coup d'œil en vous bouchant le nez et vous apercevez un vaste égout qui traverse le couloir. Une corde pend au plafond. Allez-vous passer à gué (rendez-vous au **204**), ou attraper la corde pour franchir l'égout (rendez-vous au **108**) ?

387

En vous entendant parler de Miroir d'Argent, elle lève les mains et ordonne à ses Fantômes de s'arrêter. Vous lui offrez le Miroir et elle vous souhaite bonne route. Vous avez de la chance d'être encore en vie ! Rendez-vous au **6**.

388

Les muscles de son corps se tendent dans un terrible effort et, quelques instants plus tard, il est frais et dispos. « Faiblesse ! » lance-t-il d'un ton sarcastique. « Tu ne pensais quand même pas que j'allais me laisser vaincre, *moi,* par une simple Formule de Faiblesse ! » Il a réussi à vaincre votre sortilège et il se prépare à contre-attaquer. Rendez-vous au **157**.

389

Vous vous approchez de la broche et l'une des vieilles femmes jette un peu de poudre sur le feu ; toutes trois font alors un pas en arrière et se mettent à glousser. Vous vous tenez sur vos gardes. A ce moment, le feu rugit et les flammes grandissent, menaçantes. Soudain, certaines de ces flammes bondissent hors de l'âtre et prennent la forme d'un DEVLIN, une créature de feu de la taille d'un Nain ! Les trois sorcières vous désignent du doigt et le Devlin s'avance. Qu'allez-vous faire ?

Tirer votre épée ?	Rendez-vous au **61**
Chercher un abri ?	Rendez-vous au **178**
Utiliser la magie ?	Rendez-vous au **311**

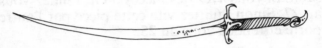

390
Elle a décidé de vous harceler et vous fait tomber d'un souffle chaque fois que vous vous relevez. *Tentez votre Chance !* Si vous êtes Chanceux, rendez-vous au **350**. Sinon, rendez-vous au **122**.

391
Le Gark prend vos 3 Pièces d'Or, les fourre dans la poche attachée à sa ceinture et vous montre deux portes. Il vous demande si vous voulez entrer dans la Bibliothèque (porte de droite) ou dans la Salle de Jeux (porte de gauche). Rendez-vous au **99**.

392
La clef tourne dans la serrure et la porte s'ouvre. Rendez-vous au **196**.

393

Vous lisez dans les pensées des trois créatures multiformes et plusieurs images vous traversent l'esprit : vous avez affaire à des MIKS qui ont le pouvoir de se transformer à leur gré en n'importe quel objet ou n'importe quelle autre créature. Les Miks sont en train de penser à vous et votre présence ne les dérange pas le moins du monde. Ils vous considèrent au contraire comme un divertissement. L'or apparaît souvent dans leurs pensées et ils semblent très cupides. Ce sera peut-être là votre chance de salut. Si vous avez des Pièces d'Or, rendez-vous au **27**. Sinon, quittez vite cette pièce par l'autre porte et rendez-vous au **25**.

394

Les créatures échangent un regard, comme si le nom leur disait quelque chose sans qu'elles sachent très bien à quel visage l'associer. Vous ajoutez aussitôt qu'il est de garde au premier étage. Les deux personnages haussent alors les épaules puis, estimant finalement que vous dites sans doute la vérité, le Singe-Chien appelle le gardien qui vous laisse entrer. Rendez-vous au **251**.

395

Vous prononcez la Formule Magique et vous vous concentrez pour créer l'illusion que vous êtes un puissant sorcier lassé de leurs farces. Rien ne se passe cependant et, de nouveau, retentit un rire moqueur venu on ne sait d'où. « Nous aussi, nous sommes des créatures magiques, dit une voix, mais pas des amateurs, comme vous ! » Et brusquement, vous recevez un coup dans le dos qui vous projette au milieu de la pièce. Vous perdez 2 points d'ENDURANCE. Allez-vous chercher dans votre sac à dos un objet qui pourrait vous aider (rendez-vous au **322**), ou tirer votre épée (rendez-vous au **248**) ? Si vous n'avez pas encore essayé une formule de Feu avec eux, vous pouvez le faire. Rendez-vous au **85**.

396

Rendez-vous au **183**.

397

Ce n'est pas vraiment un repas, mais vous aviez faim et soif, et ce modeste en-cas vous donne 2 points d'ENDURANCE. Maintenant, vous pouvez soit appeler le Calacorm (rendez-vous au **69**), soit utiliser une Formule Magique pour essayer de sortir de cette prison (rendez-vous au **193**).

398

Vous prononcez la Formule et votre force revient, vous permettant ainsi de continuer à tailler les marches. Lorsque vous parvenez au sommet du puits, les effets de la Formule s'effacent à nouveau mais vous pouvez à présent longer les remparts en direction de la Tour Noire. Rendez-vous au **79**.

Vous lancez la Formule. L'Elfe Noir s'approche alors et la Myriade disparaît de sa main ! Le voici devant vous, apparemment sans défense, se demandant avec inquiétude s'il doit fuir ou combattre. Vous pouvez vous ruer sur lui et l'affronter.

ELFE NOIR   HABILETÉ : 4   ENDURANCE : 4

Si vous êtes vainqueur, rendez-vous au **272**.

Balthus le Terrible est étendu à vos pieds. Il est mort. Vous avez rempli votre mission et la Vallée des Saules ne sera pas envahie, dans l'immédiat tout au moins.

Pour détruire plus sûrement les plans du Sorcier, vous arrachez les rideaux de la fenêtre et vous en couvrez la table sur laquelle a été disposée la maquette du plan de bataille. Vous prenez ensuite une bougie et vous mettez le feu aux draperies. Et tandis que les flammes lèchent la table, vous vous demandez comment faire pour vous échapper d'ici. Vous reste-t-il une Formule de Lévitation ? Si oui, utilisez-la et envolez-vous par la fenêtre. Sinon, vous devrez faire appel à toute votre habileté et à votre ruse pour éviter les gardes et déjouer les pièges de la Citadelle tout au long de votre fuite. Mais ceci est une autre histoire...

*Achevé d'imprimer
le 19 Avril 1985
sur les presses de
l'Imprimerie Hérissey
à Évreux (Eure)*

*Nº d'imprimeur : 37131
Dépôt légal : Avril 1985
1ᵉʳ dépôt légal dans la même collection : Septembre 1984
ISBN 2-07-033268-3*

Imprimé en France

35634